DEUTSCHLAND

Eine Entdeckungsreise

GERMANY

A Voyage of Discovery

L' ALLEMAGNE

Un voyage de decouverte

DEUTSCHLAND
Eine Entdeckungsreise

GERMANY
A Voyage of Discovery

L' ALLEMAGNE
Un voyage de decouverte

Text von Simone Harland

Artcolor®

Frontispiz:
Im 19. Jahrhundert wurden viele Barockgärten der Schlösser im Münsterland
zu englischen Landschaftsgärten verwandelt.
Heute erinnern noch schöne Blickachsen mit Statuen und Brunnen
an die höfische Vergangenheit.

Frontispiece:
In the 19th century, many baroque gardens around castles in Münsterland
were turned into English landscaped gardens. Today, beautiful visual angles
with statues and fountains remind us of these courtly bygone days.

Frontispice:
Au XIXième siècle, de nombreux parcs baroques des châteaux du bassin de
Münster furent transformés en jardins anglais. Aujourd'hui, de beaux axes
pourvus de statues et de fontaines remémorent encore le passé de la cour.

© Artcolor® by Eggenkamp Verlagsgesellschaft mbH, D-59387 Ascheberg
4. Auflage, 2001
Alle Rechte an Bild und Text vorbehalten. Nachdruck, auch auszugsweise,
nur nach vorheriger schriftlicher Genehmigung des Verlages gestattet.
Englische Übersetzung: Beate Gorman
Französische Übersetzung: Elisabeth Mirsberger, Christiane Schoelzel
Printed in Germany 2001
ISBN 3-89743-154-8

INHALT / CONTENTS / CONTENU

Schleswig-Holstein
Schleswig-Holstein
Slesvig-Holstein

Seite 8

Nordrhein-Westfalen
North Rhine-Westphalia
Rhénanie-du-Nord-Westphalie

Seite 76

Hamburg
Hamburg
Hambourg

Seite 18

Rheinland-Pfalz
Rhineland-Palatinate
Rheinland-Pfalz

Seite 88

Niedersachsen
Lower Saxony
Basse-Saxe

Seite 22

Saarland
Saarland
Sarre

Seite 98

Bremen
Bremen
Brême

Seite 32

Hessen
Hesse
Hesse

Seite 104

Mecklenburg-Vorpommern
Mecklenburg-Western Pomerania
Mecklembourg-Poméranie occidentale

Seite 36

Thüringen
Thuringia
Thuringe

Seite 114

Brandenburg
Brandenburg
Brandebourg

Seite 48

Sachsen
Saxony
Sachsen

Seite 124

Berlin
Berlin
Berlin

Seite 58

Baden-Württemberg
Baden-Württemberg
Bade-Wurtemberg

Seite 134

Sachsen-Anhalt
Saxony-Anhalt
Saxe-Anhalt

Seite 66

Bayern
Bavaria
La Bavière

Seite 144

Vorwort
Foreword
Préface

Eine Reise durch Deutschland

356 974 km² Fläche, 81,5 Millionen Einwohner, 16 Bundesländer – das sind die nackten Fakten über Deutschland. Sie sagen natürlich nichts darüber aus, was das Land zwischen Nordsee, Ostsee und den Alpen an Sehenswürdigkeiten und Naturschönheiten zu bieten hat. Selbst zahlreichen Deutschen sind – nicht zuletzt wegen der deutschen Wiedervereinigung erst im Jahr 1990 – noch viele Landstriche in ihrer Heimat unbekannt. Dieser Bildband will Sie auf eine Tour quer durch die 16 Bundesländer mitnehmen und Ihnen ein wenig von den Schönheiten Deutschlands zeigen. Die Beschreibungen der Bundesländer geben Ihnen einen kurzen Überblick über die Besonderheiten der Region, und die Datenkästen informieren Sie – ohne einen Anspruch auf Vollständigkeit zu erheben – über die wichtigsten Fakten zu jedem Bundesland. Vielleicht bringt Sie das Buch auf den Geschmack, sich selbst auf Entdeckungsreise zu begeben und einige Landschaften und Sehenswürdigkeiten auf eigene Faust zu erkunden. Doch nun soll es endlich losgehen: Viel Spaß auf Ihrer Reise durch Deutschland!

A journey through Germany

356 974 km², 81.5 million inhabitants, 16 federal states or "Länder", these are the bare facts about Germany. Of course that says nothing about the natural beauty and places of interest to be found in the country between the North Sea, the Baltic and the Alps. There are also a great many Germans who do not know all the regions in their home country, due in part to the German reunification in 1990. This illustrated book will take you on a tour through all 16 "Länder" and show you a little of the beauty of Germany. The descriptions of the federal states give you a brief overview of points of interest in the respective regions, and the data boxes inform you – without claiming to be complete – about the most important facts on each "Land". Perhaps the book will encourage you to set out on a voyage of discovery and explore several regions and points of interest on your own initiative. But now we are off at last. Have a lot of fun on your journey through Germany.

Un voyage à travers l'Allemagne

356 974 km² de superficie, 81,5 millions d'habitants, 16 états – ce sont les faits authentiques de l'Allemagne. Ils n'expriment bien sûr pas ce qu'offre le pays comme curiosités et beautés naturelles entre la mer du Nord, la mer baltique et les Alpes. Beaucoup d'Allemands même ne connaissent pas différentes contrées de leur pays, pas seulement à cause de la réunification allemande en 1990. Cette édition illustrée veut vous emmener faire un tour à travers les 16 états et vous montrer un peu les beautés de l'Allemagne. Les descriptions des états vous donnent un bref aperçu sur les particularités de la région et les tableaux informatifs vous renseignent sur les faits les plus importants pour chaque état, sans émettre une prétention quant à l'intégrité. Ce livre vous donnera peut-être goût d'aller vous-même à la découverte et d'explorer quelques paysages et curiosités. Il est temps maintenant de commencer: Nous vous souhaitons beaucoup de plaisir pour votre voyage à travers l'Allemagne!

Schleswig-Holstein

Schleswig-Holstein
Slesvig-Holstein

Das Land zwischen den Meeren

Wegen seiner Lage zwischen Nord- und Ostsee wird Schleswig-Holstein auch als das „Land zwischen den Meeren" bezeichnet. Diese Lage ist es auch, die das nördlichste aller 16 Bundesländer zu einem der beliebtesten Urlaubsziele innerhalb Deutschlands gemacht hat. Im Westen die rauhe Nordsee mit ihren Inseln und dem Wattenmeer, im Osten die eher sanft wirkende, aber durchaus gefährliche Ostsee mit den weit in das Land hineinreichenden Meeresbuchten – das sind die Gegensätze, für die Schleswig-Holstein bekannt ist.

Doch auch das Küstenhinterland hat seine Reize: Die Holsteinische Schweiz zwischen Eutin und Preetz zum Beispiel lockt mit ihren mehr als 100 Seen und ihrer lieblichen Hügellandschaft, in der die mit 168 Metern höchste Erhebung Schleswig-Holsteins, der Bungsberg, aufragt. Mit Städten von Weltruhm kann dieses Bundesland allerdings nicht aufwarten; die Landeshauptstadt Kiel ist mit ihren rund 247 300 Einwohnern vergleichsweise klein.

Landschaft geprägt durch Eis und Wasser

Die Entstehung seiner Landschaften hat Schleswig-Holstein vor allem den Eiszeiten und dem Meer zu verdanken. Die Marsch, die im Westen an Nordsee und Wattenmeer anschließt, ist Land, das dem Meer abgerungen wurde. Durch Einwirkung von Ebbe und Flut sammelte sich am Ufer nach und nach mehr Schlick an – das Meer verlandete. Das fruchtbare, flache Marschland wurde zusätzlich durch den Bau von Deichen geschützt.

Die Geestlandschaft mit ihren sandigen, kargen Böden, die Schleswig-Holstein als leichte Erhöhung in der Landesmitte von Norden nach Süden durchzieht, ist ein Überbleibsel der Eiszeiten. Die gewaltigen Gletscher schoben Erde und Geröll vor sich her. Als sie dann allmählich abschmolzen, blieben die aufgetürmten Geröllhaufen als sogenannte Endmoränen liegen – die Geest hatte sich gebildet. Auch die östliche Hügellandschaft ist eine Hinterlassenschaft der Gletscher.

Das Marschland ist wegen der Überflutungsgefahr nur dünn besiedelt. Die meisten Dörfer wurden jedoch in unmittelbarer Nähe zur Marsch auf der Geest errichtet.

Die größten Städte Schleswig-Holsteins entstanden wegen des im Vergleich zum Westen deutlich milderen Klimas und der sehr ertragreichen Böden an den V-förmigen Meeresbuchten, den Förden, des östlichen Hügellandes.

Musikfestival und Kieler Woche

Durch seine ländliche, von der Natur geprägte Struktur gilt Schleswig-Holstein im Unterschied zu anderen deutschen Bundesländern nicht gerade als kulturelle Hochburg. Das jährliche Schleswig-Holstein-Musikfestival mit vielen hochkarätigen Künstlern ist nur eine Veranstaltung von vielen, die gegen dieses Image gesetzt wurde. Auch überall in den Ferienzentren an Nord- und Ostsee finden zur Hauptsaison Konzerte und Theateraufführungen statt. Als größtes Sportereignis der Region gilt die Kieler Woche, eine Segelregatta, die weltweiten Ruhm erlangt hat und jährlich ausgetragen wird.

Inseln und Städte – klein, aber fein

Während die Nordseeküste reich an vorgelagerten Inseln ist, liegt vor der schleswig-holsteinischen Ostseeküste nur die Insel Fehmarn. Aufgewogen wird dieses scheinbare „Mißverhältnis" allerdings dadurch, daß Fehmarn nach Rügen die zweitgrößte deutsche Insel ist.

In der Nordsee finden sich die Nordfriesischen Inseln Amrum, Föhr und Sylt sowie die Marschinseln Nordstrand und Pellworm, die Felseninsel Helgoland, viele weitere kleine Inselchen und natürlich die berühmten Halligen. Während sich Sylt als Urlaubsziel der Reichen und Schönen gern mondän gibt, gelten Föhr und Amrum eher als Familieninseln. Allerdings finden sich natürlich auch auf Sylt ruhige Plätze für Naturliebhaber, zum Beispiel das Naturschutzgebiet Ellenbogen bei List mit seinen Wanderdünen.

Die einzigen Großstädte Schleswig-Holsteins sind Lübeck und die Landeshauptstadt Kiel. Die Altstadt der Hansestadt Lübeck mit dem Holstentor, dem Wahrzeichen der Stadt, dem Buddenbrockhaus und dem gotischen Backsteinrathaus wurde 1987 von der UNESCO zum Weltkulturerbe erklärt. Kiel hat trotz großer Zerstörungen im Zweiten Weltkrieg einiges an Sehenswürdigkeiten zu bieten, darunter das Schiffahrtsmuseum und das schleswig-holsteinische Freilichtmuseum Molfsee mit seinen wiederaufgebauten alten Bauernhäusern.

Eckdaten

Fläche: 15 738 km²	Einwohner: 2,7 Millionen
Hauptstadt: Kiel	Einwohner pro km²: 173
Größte Städte (Einwohner):	1. Kiel (247 300)
	2. Lübeck (216 900)
	3. Flensburg (87 700)
	4. Neumünster (82 000)

Bruttoinlandsprodukt pro Kopf: 41 000 DM

Haupterwerbszweige: Produzierendes Gewerbe: 34,4%, Dienstleistungen: 26,7%, Handel, Verkehr, Nachrichten-übermittlung: 25,2%, Landwirtschaft: 1,8%, Sonstiges: 11,9%

Sehenswürdigkeiten: Altstadt von Lübeck mit Holstentor, Altstadt von Flensburg

Landschaften: Holsteinische Schweiz, Nordsee mit Wattenmeer, Ostseeküste

Gäste: 3,9 Millionen, Übernachtungen: 21,6 Millionen

Infoadresse: Fremdenverkehrsverband Schleswig-Holstein
Niemannsweg 31, 24105 Kiel
Tel. 04 31-5 60 01 00, Fax: 04 31-56 98 10

Schleswig-Holstein

The land between the seas

Due to its position between the North Sea and the Baltic, Schleswig-Holstein is also known as the "Land between the seas". This location is also the reason that has made the northernmost of all 16 states, that make up the Federal Republic of Germany, Germany's favourite holiday destination. In the west, the rough North Sea with its islands and mud flats, in the east the Baltic Sea, which may appear to be calmer but which certainly can be just as dangerous, with its bays reaching far into the countryside – these are the extremes for which Schleswig-Holstein is known.

But the coastal hinterland also has its fascination. The Holsteinische Schweiz between Eutin and Preetz, for example, lures with its more than 100 lakes and delightful hilly landscape. Here is also Schleswig-Holstein's highest point, the Bungsberg at 168 metres. However, this state cannot offer towns of world-renown – the capital Kiel with barely 247 300 inhabitants is relatively small.

A region formed by ice and water

Schleswig-Holstein can mainly thank the creation of its landscape to the Ice Ages and the sea. The marshland which joins the North Sea and the mud flats to the west is land that has been reclaimed from the sea. Through the effects of low and high tide, an increasing amount of silt collected on the shore – the sea filled up by sedimentation. The fertile flat marshland was also protected by the building of dikes.

The geest with its sandy, barren ground which crosses Schleswig-Holstein in the middle as a slight elevation from north to south is a leftover from the Ice Ages. The colossal glaciers shoved earth and scree in front of them. As they then gradually melted, the heaped up scree remained lying as so-called moraines – the geest was formed. The eastern hilly landscape is also a leftover of the glaciers.

The marshland is only thinly populated because of the danger of flooding. Most of the villages were built on the geest in the immediate vicinity of the marsh. The largest towns in Schleswig-Holstein were founded on the V-shaped bays, the firths, of the eastern hills because of the milder climate and more fertile soil found there compared to the west of the country.

Music festival and the Kiel Regatta Week

Because of its rural structure formed by nature, Schleswig-Holstein is not exactly regarded as a cultural stronghold compared to the other German states. The annual Schleswig-Holstein music festival with many high-calibre artists is just one of many events that have been organised to change this image. Everywhere there are concerts and theatre productions in the main season in the North Sea and Baltic holiday centres. The major sporting event in this region is the Kiel Regatta Week, an annual sailing regatta which has gained world-wide fame.

Islands and towns – not too big but nice

While Schleswig-Holstein has many islands dotted along its North Sea coastline, there is only the island of Fehmarn on the Baltic side. However, this "incongruity" is balanced out by the fact that Fehmarn is Germany's second largest island after Rügen.

In the North Sea we find the islands of Amrum, Föhr and Sylt as well as the marsh islands of Nordstrand and Pellworm, the rocky island of Helgoland, many small islets and of course the famous holms. While Sylt likes to appear elegant and chic, Föhr and Amrum are more family holiday islands. But Sylt of course also has tranquil places for nature lovers such as the Ellenbogen Natural Park near List with its drifting sand dunes.

Schleswig-Holstein's only cities are Lübeck and Kiel. The Old Town of the Hanseatic Town of Lübeck with its Holsten Gate, the city's landmark, Buddenbrock House and the Gothic brick town hall was added to the world cultural heritage list in 1987 by UNESCO.

In spite of severe damage during World War II Kiel has a lot of interesting things to see, including the Nautical Museum and the Schleswig-Holstein open-air museum Molfsee where old farmhouses have been re-constructed.

Flensburg offers a very special flair, because of its neighbourhood to the Danish border.

Key Features	
Area: 15 738 km²	Population: 2.7 million
Capital: Kiel	Population per km²: 173
Largest cities (population):	1. Kiel (247 300)
	2. Lübeck (216 900)
	3. Flensburg (87 700)
	4. Neumünster (82 000)
Gross national product: 41 000 DM	
Main branches of Industry: manufacturing industry: 34.4%, service industry: 26.7%, trade, transport and communication: 25.2%, agriculture: 1.8%, miscellaneous: 11.9%	
Places of interest: Lübeck's Old Town with Holsten Gate, Flensburg's Old Town	
Regions: Holsteinische Schweiz, North Sea with mud flats, Baltic coast	
Visitors: 3.9 million, overnight stays: 21.6 million	
Information: Fremdenverkehrsverband Schleswig-Holstein Niemannsweg 31, 24105 Kiel Tel. 04 31-5 60 01 00, Fax: 04 31-56 98 10	

Slesvig-Holstein

L'état entre les mers

A cause de sa situation entre la mer du Nord et la mer baltique, Slesvig-Holstein est aussi nommé «le pays entre les mers». Cette position est aussi la raison pour laquelle l'état situé le plus au nord des seize états est devenu l'un des but de vacances les plus favorisés en Allemagne. Dans l'ouest, on trouve la mer du Nord rude avec ses îles et la Wattenmeer et à l'est la mer baltique, qui paraît plutôt calme, mais qui est tout de même dangereuse avec ses baies s'étendant loin dans le pays. Ce sont les contrastes pour lesquels Slesvig-Holstein est reputé.

Mais aussi le paysage de l'arrière pays a ses attractions. La Holsteinische Schweiz entre Eutin et Preetz par exemple attire avec plus de 100 lacs et son paysage charmant formé de collines dans laquelle s'élève le Bungsberg de 168 mètres d'altitude, le plus haut de l'état. Pourtant, cet état ne peut servir par des villes d'une célébrité mondiale et Kiel, sa capitale, comprenant à peine 247 300 habitants, est petite en comparaison avec d'autres capitales.

Le paysage marqué par la glace et par l'eau

Slesvig-Holstein doit la formation de son paysage en première ligne à l'époque glaciaire et à la mer. La Marsch, qui à l'ouest se branche à la mer du Nord et à la Wattenmeer, est une région qui a été arrachée à la mer. Par l'influence de la marée basse et la marée haute, s'accumule de plus en plus de vase et ainsi la mer s'ensable. La région de Marsch fertile et plate, fut protégée en complément par la construction de digues.

Le paysage Geest avec ses sols ensablés et mesquins, s'étirant au centre de l'état du nord au sud comme faible élévation, est un vestige de l'époque glaciaire. Les immenses glaciers ont poussé la terre et des éboulis devant eux. Quand ils ont peu à peu fondu, il en resta les tas d'éboulis comme des soi-disants fins de moraines et ainsi s'est formée la Geest. Les collines à l'est sont également un héritage des glaciers.

A cause du danger d'inondation, la région de Marsch n'est que peu peuplée. La plupart des villages a été construite tout près du Marsch sur la Geest. Les plus grandes villes de Slesvig-Holstein se sont formées près des baies en V, du paysage de collines à l'est qu'on nomme les Förden à cause du climat doux par rapport à l'ouest et des sols fertiles.

Festival de musique et Kieler Wochen

A cause de sa structure campagnarde, marquée par la nature, Slesvig-Holstein ne compte pas parmi les fiefs culturels allemands. Le festival annuel de musique de Slesvig-Holstein comprenant beaucoup d'artistes célèbres n'est qu'une manifestation parmi tant d'autres, qui a été initiée pour faire opposition à cette image. De plus, pendant la saison principale, partout dans les centres de vacances de la mer du Nord et de la mer baltique des concerts et des représentations théâtrales ont lieu. Le plus grand évènement sportif de la région sont les Kieler Wochen, une régate de voiliers avec renommée mondiale.

Des îles et des villes, petites mais charmantes

Pendant que la mer du Nord est riche en îles s'étendant devant l'état, il n'y a que l'île Fehmarn qui occupe la côte baltique de Slesvig-Holstein. Cette «disproportion» est compensée par le fait que Fehmarn est la deuxième île allemande dans sa grandeur, précédée par Rügen.

Dans la mer du Nord se trouvent les îles Amrum, Föhr et Sylt, ainsi que les îles du Marsch Nordstrand et Pellworm et l'île rocheuse Helgoland, beaucoup d'autres petits îlots et bien sûr les fameuses Halligen. Tandis que Sylt aime se présenter mondaine, Föhr et Amrum comptent plutôt parmi les îles pour les familles. Cependant, on trouve aussi à Sylt des endroits calmes pour ceux qui aiment la nature, comme par exemple la réserve protégée Ellenbogen près de List, avec ses dunes mouvantes. Les seules métropoles de Slesvig-Holstein sont Lübeck et Kiel. La vieille ville de la ville hanséatique de Lübeck avec son Holstentor, le symbole de la ville, la maison Buddenbrock et l'hôtel de ville en briques dans le style gothique, furent déclarés comme héritage culturel mondial par l'UNESCO en 1987. Malgré les immenses destructions pendant la deuxième guerre mondiale, Kiel a encore beaucoup de curiosités à offrir. Parmi elles se trouvent le musée de la navigation et le musée en plein air Molfsee.

Statistiques de référence	
Superficie: 15 738 km²	Habitants: 2,7 millions
Métropole: Kiel	Habitants par km²: 173
Plus grandes villes (habitants):	1. Kiel (247 300)
	2. Lübeck (216 900)
	3. Flensburg (87 700)
	4. Neumünster (82 000)
Produit intérieur brut par habitant: 41 000 DM	
Ressources principales: activité industrielle productive: 34,4%, prestations de services: 26,7%, commerce, trafic et transmission des informations: 25,2%, agriculture: 1,8%, autres: 11,9%	
Curiosités: Vieille ville de Lübeck avec Holstentor, Vieille ville de Flensburg	
Paysages: Holsteinische Schweiz, Mer du Nord avec Wattenmeer, Côte de la mer baltique	
Visiteurs: 3,9 millions, logements: 21,6 millions	
Adresse pour renseignements:	
Fremdenverkehrsverband Schleswig-Holstein Niemannsweg 31, 24105 Kiel Tel. 04 31-5 60 01 00, Fax: 04 31-56 98 10	

Ein Friesenhaus auf der Insel Amrum.

A Frisian house on the island of Amrum.

Une maison frisonne de l'île d'Amrum.

Rechts oben/above/ci-dessus:
Die Hanswarft auf der Hallig Hooge, auf der mehrere Gehöfte stehen, wurde zum Schutz vor Hochwasser aufgeschüttet.

The Hanswarft on Hooge Holm, on which several farmsteads are located, is protected against high tides.

La «butte de Jean» du hallig de Hooge qui porte plusieurs métairies, fut élevée comme protection contre la marée haute.

Schon von weitem ist der Leuchtturm von Westerhever für die Schiffe vor der schleswig-holsteinischen Küste sichtbar.

The lighthouse at Westerhaver can be seen from a distance by ships off the coast of Schleswig-Holstein.

Le phare de Westerhever est perceptible par les bateaux au loin de la côte de Slesvig-Holstein.

Seite 9/page 9:
Die mondäne Insel Sylt (hier ein Haus in Keitum) lockt alljährlich Scharen von Besuchern an.

The fashionable island of Sylt (here a house in Keitum) annually draws hordes of visitors.

L'île mondaine de Sylt (ici une maison à Keitum) attire chaque année des myriades de visiteurs.

Folgende Doppelseite/following pages/pages suivantes:
Auf Kuttern mit langen Auslegern, an denen Schleppnetze hängen, fangen die Fischer vor der schleswig-holsteinischen Küste Krabben.

The fishermen catch shrimps off the Schleswig-Holstein coast from cutters with long booms.

Pour la pêche aux crevettes, les pêcheurs de la côte de Slesvig-Holstein se servent de cotres pourvus de longs balanciers.

Das Wahrzeichen von Lübeck: das Holstentor.

The Holsten Gate is the landmark of Lübeck.

L'emblème de Lübeck: le Holstentor (la Porte des habitants de Holstein).

St. Peter Ording gehört zu den beliebtesten Badeorten (rechts oben).

St. Peter Ording is one of the favourite holiday destinations (right above).

St. Peter Ording fait partie des villes balnéaires les plus prisées (ci-dessus).

Kiel bei Nacht: der Rathausplatz und die Oper.

Kiel by nigth: The town hall square and the opèra house

Kiel de nuit: La place de l'hôtel de ville et l'opéra.

Hamburg
Hamburg
Hambourg

Deutschlands „Tor zur Welt"

Auch wenn allenfalls die Museumsschiffe im Hamburger Hafen noch Seefahrerromantik ausstrahlen, ist doch der größte Seehafen Deutschlands – der Grund, warum Hamburg das „Tor zur Welt" genannt wird – eine Besichtigung wert. Die um 825 als Hammaburg erstmals erwähnte Stadt hat aber noch wesentlich mehr zu bieten. Kunst und Kultur beispielsweise werden in Hamburg groß geschrieben: Mit den drei Staatstheatern, den vielen kleinen Theatern und Musikclubs, den Musical-Spielstätten, den etwa 50 Museen und einer Reihe von Verlagen ist Hamburg ein Magnet für kulturell Interessierte. Architekturbegeisterte werden in Hamburg ebenfalls auf ihre Kosten kommen. Zwar wurden während des großen Brands 1842 und während des Zweiten Weltkriegs viele ältere Gebäude zerstört, einige Bauwerke wie die Ende des 19. Jahrhunderts errichteten Lagerhäuser der Speicherstadt mit ihren Spitzbogen und Türmen sowie die Krameramtswohnungen aus dem 17. Jahrhundert blieben jedoch erhalten. Auch moderne Gebäude wie das an ein Schiff erinnernde Verlagshaus von Gruner & Jahr von 1990 haben durchaus ihren Reiz.

Natürlich gehört zu Hamburg auch das Vergnügungsviertel St. Pauli. Dort, wo früher Handwerker und später Seeleute wohnten, liegen heute Rotlicht-Milieu und Szene-Kneipen nah beieinander. In fast unmittelbarer Nachbarschaft der Amüsiermeile Reeperbahn, allerdings schon im Stadtteil Altona, findet jeden Sonntagmorgen der berühmte Fischmarkt statt – und das bereits seit Beginn des 18. Jahrhunderts.

Germany's "gateway to the world"

Even if it is only the museum ships in Hamburg harbour that still emanate sailing romanticism, Germany's largest seaport – the reason why Hamburg is called "gateway to the world" – is still worth visiting. However, the city, first referred to in 825 AD as Hammaburg, has much more to offer. For example, art and culture loom high; with its three national theatres, many small theatres and music clubs, Hamburg is a magnet for the culturaly-minded. Architecture fans can also get their money's worth in Hamburg. Although the Great Fire of 1842 and bombing during World War II destroyed many old buildings, several buildings remained intact, such as the 19th century warehouses of the "Speicherstadt" with their pointed arches and towers or the Krameramtswohnungen (tenement buildings) from the 17th century. Modern buildings such as that of the publishing house Gruner & Jahr, built in 1990 and reminiscent of a ship, also have a definite fascination.

Of course the night-life district of St. Pauli also belongs to Hamburg. Where in the old days craftsmen and later sailors lived, today the redlight milieu and in-pubs lie close together. In the almost immediate neighbourhood of the entertainment boulevard Reeperbahn, but already in the suburb of Altona, can be found the famous fish market which has taken place every Sunday since the beginning of the 18th century.

«La porte d'accès au monde» de l'Allemagne

Même si à la rigueur, seuls les bateaux de musées répandent encore un romantisme de marins, le plus grand port maritime de l'Allemagne – raison pour laquelle Hambourg est nommée «La porte d'accès au monde» – vaut la peine d'être visité. La ville étant mentionnée pour la première fois comme Hammaburg vers 825 a encore beaucoup plus à offrir. L'art et la culture, par exemple, jouent un rôle important à Hambourg: avec ses trois théâtres publics et ses nombreux petits théâtres et clubs de musique, ses théâtres musicaux, environ 50 musées et toute une gamme de maisons d'édition, Hambourg est un aimant pour les intéressés de culture. Ceux qui favorisent l'architecture trouvent aussi leur compte à Hambourg. Certes, beaucoup d'anciens bâtiments ont été détruits lors du grand incendie en 1842 et lors de la deuxième guerre mondiale, mais différents monuments comme les entrepôts des greniers de la ville avec ses arcs gothiques et ses tours, construits à la fin du 19ème siècle ainsi que les résidences des épiciers du 17ème siècle ont été conservés. Des bâtiments modernes, comme la maison d'édition de Gruner & Jahr de l'année 1990, rappellant à un bateau, a aussi un certain charme. Bien sûr le quartier des divertissements, St. Pauli fait partie de Hambourg. Là, où vivaient autrefois des artisans et plus tard des marins, on trouve aujourd'hui le milieu «Lumière Rouge» et les clubs de scène tout près l'un de l'autre. A proximité directe de la rue des amusements «Reeperbahn», cependant déjà dans le quartier de ville Altona, a lieu chaque dimanche matin le célèbre marché aux poissons, et cela déjà depuis le début du 18ème siècle.

Eckdaten

Fläche: 755 km²	Einwohner: 1,7 Millionen
Hauptstadt: Hamburg	Einwohner pro km²: 2262

Bruttoinlandsprodukt pro Kopf: 80 388 DM

Haupterwerbszweige: Handel, Verkehr, Nachrichten-
übermittlung: 34,3%, Dienstleistungen: 32,3%, Produzierendes
Gewerbe: 24,6%, Landwirtschaft: 0,4%, Sonstiges: 8,5%

Sehenswürdigkeiten:
Alster, Börse, Fischmarkt, Hafen, Speicherstadt, Kirche
St. Michaelis, Krameramtswohnungen, Planten und Bloomen
(Grünanlage), Reeperbahn, St. Pauli-Landungsbrücken

Gäste: 2,3 Millionen, Übernachtungen: 4,2 Millionen

Infoadresse: Tourismus-Zentrale Hamburg
Burchardstraße 14
Postfach 10 22 49
20095 Hamburg
Tel. 0 40-3 00 51-3 00, Fax 0 40-3 00 51-2 53

Key Features

Area: 755 km²	Population: 1.7 million
Capital: Hamburg	Population per km²: 2262

Gross national product: 80 388 DM

Main branches of Industry: trade, transport and communication: 34.3%, service industry: 32.3%, manufacturing industry:
24.6%, agriculture: 0.4%, miscellaneous: 8.5%

Places of interest:
River Alster, Stock Exchange, Fish Market, harbour, warehouses,
St. Michael's Church, Krameramtswohnungen, Planten und
Bloomen (park), Reeperbahn, St. Pauli landing stages

Visitors: 2.3 million, overnight stays: 4.2 million

Information: Tourismus-Zentrale Hamburg
Burchardstraße 14
Postfach 10 22 49
20095 Hamburg
Tel. 0 40-3 00 51-3 00, Fax 0 40-3 00 51-2 53

Statistiques de référence

Superficie: 755 km²	Habitants: 1,7 millions
Métropole: Hambourg	Habitants par km²: 2262

Produit intérieur brut par habitant: 80 388 DM

Ressources principales: commerce, trafic et transmission des
informations: 34,3%, prestations de services: 32,3%, activité
industrielle productive: 24,6%, autres: 8,5%

Curiosités:
Alster, Bourse, Marché aux poissons, Port, Greniers de la ville,
Eglise St. Michaelis, Résidences des épiciers, Planten und
Bloomen (parc), Reeperbahn, St. Pauli-Ponts des débarcadère

Visiteurs: 2,3 millions, logements: 4,2 millions

Adresse pour renseignements:
Tourismus-Zentrale Hamburg
Burchardstraße 14
Postfach 10 22 49
20095 Hamburg
Tel. 0 40-3 00 51-3 00, Fax 0 40-3 00 51-2 53

Der Hamburger Hafen gehört zu den größten See- und Containerhäfen weltweit.

Hamburg Harbour is one of the largest sea and container ports in the world.

Le port de Hambourg fait partie des plus grands ports maritimes de containers du monde.

Rechts oben/right above/à droite ci-dessus:
Dick vermummt trifft man sich im Winter zum großen Eisvergnügen auf der zugefrorenen Außenalster – nicht nur, um einen steifen Grog oder einen Glühwein zu trinken.

Well muffled, people meet on the frozen outer Alster for ice sports – and also to drink a stiff grog or a mulled wine.

En hiver, on se donne rendez-vous bien emmitouflé sur la glace de l'Alster extérieure gelée, pour le plus grand amusement de chacun – et non seulement pour boire un grog carabiné ou un vin chaud.

Vorhergehende Seite/previous page/page précédente:
Zu den Sehenswürdigkeiten Hamburgs zählt das 1886–97 errichtete Rathaus mit dem davorliegenden Rathausplatz unweit der Binnenalster.

A place of interest in Hamburg is the town hall, constructed in 1886-97 with the square in front, not far from the inner Alster.

L'hôtel de ville (construit de 1886 à 1897) et sa place, situés à proximité de l'Alster intérieure, font partie des pôles d'attraction de Hambourg.

Vom Schiffsanleger am Jungfernstieg (im Hintergrund das Hotel Vier Jahreszeiten) starten Boote zur Alster- und Hafenrundfahrt.

Boats leave the jetty on Jungfernstieg (the Vier Jahreszeiten Hotel is in the background) for cruises on the Alster and around the harbour.

Les bateaux partent depuis l'embarcadère du Jungfernstieg (sentier des demoiselles) pour les circuits de l'Alster et du port. Au fond l'hôtel des quatre saisons.

Niedersachsen
Lower Saxony
Basse-Saxe

Meer, Moore, Heide und Berge

Niedersachsen – das sind das flache Ostfriesland, das vor allem durch die Obstblüte bekannte Alte Land um Hamburg, die Lüneburger Heide, das Oldenburger und das Osnabrücker Land, das liebliche Weser- und Leinebergland, aber auch ein Teil des Harzes. Insbesondere ist es aber die Nordseeküste mit dem Nationalpark Wattenmeer und den der Küste vorgelagerten sieben Ostfriesischen Inseln Baltrum, Borkum, Juist, Langeoog, Norderney, Spiekeroog und Wangerooge, die in Niedersachsen die Besucher anziehen.

Moore und Heide haben das Gesicht Niedersachsens ebenfalls entscheidend mitgeprägt – doch leider sind die meisten Moore zur Torfgewinnung genutzt worden, so daß es nur noch wenige intakte Moorlandschaften gibt. Zu diesen gehört das Naturschutzgebiet Ewiges Meer in Ostfriesland nordöstlich von Emden, in dem der gleichnamige Hochmoorsee liegt. Auf Pfaden, die mit Holz befestigt wurden, kann das Naturschutzgebiet mit seinen seltenen Pflanzen durchwandert werden. Die Lüneburger Heide hingegen ist keine ursprüngliche, sondern eine von Menschenhand geschaffene Landschaft. Ehemals standen dort, wo heute das violette Heidekraut wächst, Wälder, die jedoch abgeholzt wurden. Das genügsame Heidekraut siedelte sich an und diente zahlreichen Schafen als Nahrung. Heute gibt es nicht mehr soviel Heidefläche wie in vergangenen Jahrhunderten – erneut wurden Bäume angepflanzt. Die Lüneburger Heide, die in Deutschland ihresgleichen sucht, steht deshalb unter besonderem Schutz.

Im Süden Niedersachsens liegt das malerische Weserbergland. Im manchmal recht schmalen Tal schlängelt sich die Weser zwischen bewaldeten Hügeln entlang. Die höchsten Anhöhen sind jedoch im Harz zu finden. Der Wurmberg bei Braunlage überragt mit 971 Metern alle anderen Erhebungen des Bundeslandes. Der Harz ist daher auch ein beliebtes Ziel für Wintersportler. Im touristisch etwas weniger bekannten Südharz gibt es vor allem im Sommer die Möglichkeit zu Wanderungen durch eine etwas abwechslungsreichere Landschaft als sie der Oberharz mit seinen dichten Wäldern zu bieten hat. Interessant ist zudem der Besuch eines der vielen Bergbaumuseen im Harz – das Rammelsberger Bergbaumuseum Goslar wurde von der UNESCO sogar in die Liste des Weltkulturerbes aufgenommen.

Junge Landesgeschichte, alte Städte

Das Land Niedersachsen wurde – wie einige andere Bundesländer auch – erst nach dem Zweiten Weltkrieg gebildet. Es entstand 1946 unter der britischen Militärregierung aus den Ländern Braunschweig, Oldenburg, Schaumburg-Lippe und der preußischen Provinz Hannover. Drei Jahre später, 1949, wurde Niedersachsen schließlich zum Bundesland. Natürlich haben die einzelnen Landesteile Niedersachsens eine wesentlich längere Geschichte, was sich unter anderem im Erscheinungsbild zahlreicher niedersächsischer Städte widerspiegelt.

In der Landeshauptstadt Hannover ist wegen der großen Zerstörungen im Zweiten Weltkrieg leider nicht mehr sehr viel von alten Zeiten zu spüren, obwohl Hannover bereits um 1100 als Marktsiedlung gegründet wurde. Einige Gebäude wie die Kreuzkirche aus dem 14. Jahrhundert und das Leineschloß, in dem der niedersächsische Landtag sitzt, blieben erhalten oder wurden wiederaufgebaut.

In Braunschweig, der ehemaligen Residenzstadt Heinrichs des Löwen, ist etwas mehr vom Glanz früherer Jahre übriggeblieben. Die zweitgrößte Stadt Niedersachsens wurde bereits 1031 erstmals urkundlich erwähnt. Aus der Regierungszeit Heinrichs des Löwen, des Herzogs von Sachsen (1142–1180), stammt die Burg Dankwarderode, die im 19. Jahrhundert im neuromanischen Stil erneuert wurde. Dort ist auch der Braunschweiger Löwe, das Wappentier Heinrichs, zu besichtigen, das er im Hof der Burg als Standbild aufstellen ließ. Auch die Altstadt Braunschweigs mit dem Markt und dem Altstadtrathaus aus dem 14. bis 15. Jahrhundert ist sehenswert.

Die Glanzzeit der alten Bischofsstadt Osnabrück begann wahrscheinlich bereits Ende des achten Jahrhunderts mit der Gründung des Bischofshofs. Zu den bekanntesten Baudenkmälern der Stadt, die während des Zweiten Weltkriegs ebenfalls schwer beschädigt, aber rasch wiederaufgebaut wurden, zählt der aus Sandstein errichtete Dom. Die meisten seiner Gebäudeteile wurden im 13. Jahrhundert im spätromanischen Stil erbaut oder verändert, auch in späteren Jahrhunderten war er immer wieder Veränderungen unterworfen. In der Altstadt von Osnabrück sind noch heute eine große Zahl von Bürgerhäusern aus dem 18. und 19. Jahrhundert zu sehen, Reste der Stadtbefestigung, wie der Barenturm, sind ebenfalls erhalten geblieben.

Eckdaten

Fläche: 47 609 km²	Einwohner: 7,8 Millionen
Hauptstadt: Hannover	Einwohner pro km²: 163

Größte Städte (Einwohner):
1. Hannover (524 600)
2. Braunschweig (253 600)
3. Osnabrück (167 900)
4. Oldenburg (150 500)

Bruttoinlandsprodukt pro Kopf: 40 399DM

Haupterwerbszweige: Produzierendes Gewerbe: 40,1%, Dienstleistungen: 25,9%, Handel, Verkehr, Nachrichtenübermittlung: 22,8%, Landwirtschaft: 1,4%, Sonstiges: 9,8%

Sehenswürdigkeiten: Burg Dankwarderode, Herrenhäuser Gärten, Osnabrücker Dom

Landschaften: Harz, Lüneburger Heide, Wattenmeer, Weserbergland

Gäste: 8,6 Millionen, Übernachtungen: 32,9 Millionen

Infoadresse: Fremdenverkehrsverband Nordsee-Niedersachsen-Bremen, Bahnhofstr. 19-20, 26122 Oldenburg Tel. 04 41-92 17 10, Fax 04 41-9 21 71 90

Lower Saxony

Sea, moorland, heaths and mountains

Lower Saxony – that is flat East Frisia, the Old Country around Hamburg, well-known for the fruit blossom, Lüneburg Heath, the Oldenburg and Osnabrück Regions, the delightful Weser and Leineberg Regions and also a part of the Harz mountains. But it is especially the North Sea coast with its mud flats national park and the seven East Frisians just beyond the coastline, Baltrum, Borkum, Juist, Langeoog, Norderney, Spiekeroog and Wangerooge which draw the tourists to Lower Saxony.

Moorland and heaths have also played a major role in forming Lower Saxony's features – but unfortunately most of the moors were used for peat extraction so that there are only a few intact moorlands left. One of these is the protected area of Ewiges Meer (eternal sea) in East Frisia, north-east of Emden, in which the lake of the same name lies. This protected area with its rare plants can be explored on paths surfaced with wood. On the other hand, the Lüneburg Heath is not a natural landscape, but one created by human hand. Once, where violet heather now grows, stood forests which were, however, cleared of trees. The easily-pleased heather began growing here and served as fodder for the many sheep. Today there is not as much heathland as in previous centuries – trees have again been planted. Therefore the Lüneburg Heath, unique in Germany, is especially protected.

In the south of Lower Saxony lies the picturesque Weserbergland. The River Weser snakes its way through what is in places quite a narrow valley, between wooded mountain ranges. However, the highest grounds are to be found in the Harz mountains. The Wurmberg near Braunlage, at 971 metres, towers above everything else in this federal state. This is why the Harz mountains are a favourite destination for winter sports. In the Southern Harz mountains, perhaps less known to tourists, there are many opportunities in summer to hike through what is a rather more varied landscape than the thickly wooded Upper Harz mountains. Also very interesting is a visit to one of the many mining museums to be found in the Harz mountains – the Rammelsberg Mining Museum in Goslar was even put on the world heritage list by the UNESCO.

Young federal history, old towns

The state of Lower Saxony – like several other states – was only formed after World War II. It was created in 1946 by the British military government from the states of Brunswick, Oldenburg, Schaumburg-Lippe and the Prussian province of Hanover. Three years later, in 1949, Lower Saxony became a federal state. Of course Lower Saxony's individual regions have a considerably longer history, something mirrored, amongst other things, in the features of numerous towns in this state.

In the capital, Hanover, there is unfortunately not a lot that can be seen of olden times because of the extent of destruction in World War II, although Hanover was founded as early as 1100 as a market settlement. Several buildings such as the cruciform basilica from the 14th century and Leine Castle, where the Lower Saxon parliament sits, remained intact or were rebuilt.

In Brunswick, the former residence of Henry the Lion, rather more of the splendour of former times remains. Lower Saxony's second largest city was first officially referred to as early as 1031. Dankwarderode Castle, which was renovated in the 19th century in the neo-romantic style, is from the rule of Henry the Brunswick Lion, the Duke of Saxony (1142–1180). There one can also view the Brunswick Lion, Henry's heraldic animal, that he had erected as a statue in the castle courtyard. Brunswick's Old Town with its market square and town hall from the 14th and 15th centuries is also well worth a visit.

The Golden Age of the old cathedral town of Osnabrück probably already began at the end of the eighth century with the foundation of the bishop's see. One of the town's most famous architectural monuments is the sandstone cathedral, also badly damaged during World War II, but restored soon after. Most parts of the building were built or altered in the 13th century in the late Romantic style, even in later years it was altered time and time again. In Osnabrück's Old Town there are still today a large number of fine houses from the 18th and 19th centuries to be seen. Remains of the municipal fortifications like the Baren Tower are also still intact.

Key Features	
Area: 47 609 km^2	Population: 7.8 million
Capital: Hanover	Population per km^2: 163
Largest cities (population):	1. Hanover (524 600)
	2. Brunswick (253 600)
	3. Osnabrück (167 900)
	4. Oldenburg (150 500)
Gross national product: 40 399 DM	
Main branches of Industry: manufacturing industry: 40.1%, service industry: 25.9%, trade, transport and communication: 22.8%, agriculture: 1.4%, miscellaneous: 9.8%	
Places of interest: Dankwarderode Castle, Herrenhäuser Gardens, Osnabrück Cathedral	
Regions: Harz, Lüneburg Heath, mud flats, Weserbergland	
Visitors: 8.6 million, overnight stays: 32.9 million	
Information: Fremdenverkehrsverband Nordsee-Niedersachsen-Bremen, Bahnhofstr. 19-20, 26122 Oldenburg Tel. 04 41-92 17 10, Fax 04 41-9 21 71 90	

Basse-Saxe

Mer, marécages, landes et montagnes

La Basse Saxe est la Frise orientale plate, le «vieux pays» autour de Hambourg, surtout populaire par la floraison des arbres fruitiers, la Lande de Lüneburg, les contrées avoisinantes Oldenburg et Osnabrück, la charmante Weser et le Leine-bergland, mais aussi une partie du Harz. C'est en particulier la côte de la mer du Nord avec le parc national Wattenmeer et les sept îles de la Frise orientale Baltrum, Borkum, Juist, Langeoog, Norderney, Spiekeroog et Wangerooge, situées devant la côte, qui attirent les visiteurs en Basse-Saxe.

Les marais et les landes ont aussi bien marqués la face de la Basse-Saxe, mais malheureusement la plupart des marais a été utilisé pour l'exploitation de la tourbe ce qui eût pour conséquence qu'on ne trouve plus beaucoup de paysages de marais intactes. Parmi eux comptent la réserve naturelle Ewiges Meer en Frise orientale dans le nord-est de Emden, dans laquelle se trouve le lac Hochmoor qui porte le même nom. Sur des sentiers consolidés avec du bois, ont peut traverser la réserve naturelle avec ses plantes rares. La Lande de Lüneburg par contre n'est pas un paysage naturel, car elle a été créée par l'homme. Là où croît aujourd'hui la bruyère mauve, il y avait autrefois des forêts qui furent déboisées. La bruyère peu exigeante s'établissit ici et servit de nourriture à de nombreux moutons. Aujourd'hui il n'y a plus autant de superficie de bruyère comme dans les siècles passés, parce qu'on a de nouveau planté des arbres. La Lande de Lüneburg, qui n'a rien de semblable en Allemagne, est mise sous protection spéciale.

Dans le sud de la Basse-Saxe se trouve le pittoresque Weserbergland. Dans cette vallée parfois très étroite, serpente la Weser entre des montagnes boisées. Cependant, les plus hautes élévations se trouvent dans le Harz. Le Wurmberg, près de Braunlage, dépasse par ses 971 mètres toutes les autres élévations de l'état. Le Harz est donc un but aimé pour les sports d'hiver. Le Südharz, qui est un peu moins connu dans le sens touristique, offre surtout en été la possibilité d'excursions à pied à cause de son paysage un peu plus varié que celui du Oberharz avec ses forêts touffues. En outre, il est intéressant de visiter un des nombreux musées de l'exploitation des mines dans le Harz. Le musée de Rammelsberg de l'exploitation des mines à Goslar a même été enregistré sur la liste du patrimoine culturel du monde.

Histoire de l'état jeune, villes anciennes

Comme différents autres états, la Basse-Saxe s'est formée seulement après la deuxième guerre mondiale. Sous le régime militaire britannique, elle se formait en 1946 des régions Brunswick, Oldenburg, Schaumburg-Lippe et la province prusse de Hanovre. Trois ans plus tard la Basse-Saxe devenait enfin un état. Les différentes régions de la Basse-Saxe ont bien-sûr une histore beaucoup plus longue, ce qui se reflète entre autre dans l'apparition des nombreuses villes de la Basse-Saxe.

Dans la capitale de l'état, on ne remarque malheureusement plus grand chose des anciens temps à cause des grandes destructions pendant la deuxième guerre mondiale, bien que Hanovre ait déjà été fondée comme colonie marchande vers 1100. Quelques bâtiments comme la Kreuzkirche du 14ème siècle et le Leineschloß, dans lequel se trouve le Landtag de la Basse-Saxe, sont restés conservés ou ils ont été reconstruits.

A Brunswick, l'ancienne ville de résidence de Henri le Lion, rappelle mieux les anciens temps. La deuxième ville de la Basse-Saxe était déjà mentionnée sur des documents en 1031. La forteresse Dankwarderode, qui au 19ème siècle, a été renouvelée dans le style néoromaine, date du règne de Henri le Lion, duc de Saxe (1142–1180). Là, on trouve aussi le Lion de Brunswick, l'animal d'armoiries d'Henri qu'il a fait dresser dans la cour du château comme statue. L'ancienne ville de Brunswick avec son marché et la mairie du 14ème au 15ème siècle valent aussi la peine d'être visitées.

L'époque brillante de l'ancienne ville épiscopale de Osnabrück a probablement déjà débutée vers la fin du huitième siècle par la fondation de la cour épiscopale. La cathédrale érigée de grès est sans doute un des monuments les plus réputés de la ville, laquelle a aussi été fortement endommagée pendant la deuxième guerre mondiale, mais qui a été reconstruite très rapidement. La plupart des parties de la cathédrale a été construite ou changée au 13ème siècle dans le style de la fin de l'époque romane et même pendant des siècles elle fut toujours soumise à de nouvelles modifications.

Statistiques de référence	
Superficie: 47 609 km²	Habitants: 7,8 millions
Métropole: Hanovre	Habitants par km²: 163
Plus grandes villes (habitants):	1. Hanovre (524 600)
	2. Brunswick (253 600)
	3. Osnabrück (167 900)
	4. Oldenburg (150 500)
Produit intérieur brut par habitant: 40 399 DM	
Ressources principales: activité industrielle productive: 40,1%, prestations de services: 25,9%, commerce, trafic et transmission des informations: 22,8%, agriculture: 1,4%, autres: 9,8%	
Curiosités: Forteresse Dankwarderode, Herrenhäuser Gärten, Cathédrale d'Osnabrück	
Paysages: Harz, Lande de Lüneburg, Wattenmeer, Weserbergland	
Visiteurs: 8,6 millions, logements: 32,9 millions	
Adresse pour renseignements: Fremdenverkehrsverband Nordsee-Niedersachsen-Bremen, Bahnhofstr. 19-20, 26122 Oldenburg Tel. 04 41-92 17 10, Fax 04 41-9 21 71 90	

Ein farbenprächtiges Bild bietet die blühende Lüneburger Heide (hier im Kreis Uelzen).

The blooming Lüneburg Heath (here in the Uelzen district) offers a colourful picture.

Les landes de Lüneburg en fleurs (ici près de Uelzen) offrent une image haute en couleurs.

Rechts oben/right above/à droite ci-dessus:
Vom Teehaus an der Borkumer Strandpromenade aus lassen sich nicht nur heranziehende Gewitter besonders gut beobachten.

The teahouse on the Borkum promenade is also a good place to watch approaching storms.

Le salon de thé, situé à la promenade de la plage de Borkum, est un bon point de vue aussi pour observer les orages qui approchent.

Fischkutter und kleine Yachten ankern im Hafen von Neuharlingersiel.

Fishing cutters and small yachts anchored in the Neuharlingersiel harbour.

Dans le port de Neuharlingersiel mouillent des cotres et des petits yachts.

Seite 23/page 23:
Der elektrische Leuchtturm auf der ostfriesischen Insel Borkum dient nicht nur Schiffen als Anhaltspunkt, er ist auch ein beliebtes Ausflugsziel für Borkumurlauber.

The electric lighthouse on the East Frisian island of Borkum is not just a reference point for ships, it is also a favourite destination for holidaymakers on Borkum.

Le phare électrique de l'île frisonne orientale de Borkum ne sert pas seulement de point de repère aux bateaux, il est également un but d'excursion apprécié par les vacanciers sur Borkum.

Folgende Doppelseite/following pages/pages suivantes:
Die niedersächsische Landeshauptstadt Hannover, die im Jahr 2000 die Weltausstellung ausrichtet, zeigt sich mit ihrem Rathaus und dem Maschsee von ihrer schönsten Seite.

The capital of Lower Saxony, Hanover, which is the venue of the World's Fair in the year 2000, presents itself from its most attractive side with its town hall and the Maschsee.

La capitale de la Basse-Saxe, Hanovre, qui organise l'Exposition Mondiale de l'an 2000, présente ses plus beaux atouts avec son Hôtel de Ville et le lac Maschsee.

Links/left/à gauche:
Der Braunschweiger Altstadtmarkt mit dem Altstadtrathaus stammt aus dem 14. bis 15. Jahrhundert, die Kirche Sankt Martin wurde bereits im 13. Jahrhundert errichtet.

Brunswick's old town market and town hall date back to the 14th and 15th centuries, the St. Martin Church was built as far back as the 13th century.

Le marché et l'hôtel de la vieille ville de Brunswick furent construits durant le XIVième et XVième siècle; l'église Saint Martin fut érigée déjà au XIIIième siècle.

Rechts/right/à droite:
Zu den Anziehungspunkten der Harzstadt Goslar gehört der Markt mit dem spätgotischen Rathaus und dem Marktbrunnen aus dem 13. Jahrhundert.

A favourite attraction in the Harz town of Goslar is the market square with the late Gothic town hall and fountain from the 13th century.

Le marché, avec l'hôtel de ville en style gothique flamboyant et la fontaine du marché du XIIIième siècle, constitue un des points d'attraction de la ville de Goslar, dans le Harz.

Links/left/à gauche:
Die altehrwürdige Universitätsstadt Göttingen besticht durch ihre zahlreichen alten Fachwerkbauten.

The time-honoured university town of Göttingen fascinates with its many old half-timbered houses.

La vieille et vénérable ville universitaire de Göttingen séduit par ses nombreuses anciennes bâtisses à colombages.

Rechts/right/à droite:
Die im Jahr 990 erstmals urkundlich erwähnte Stadt Celle ist bekannt für ihre liebevoll restaurierten Fachwerkhäuser wie hier in der Schuhstraße.

Celle, first officially mentioned in 990, is well-known for its wonderfully restored half-timbered houses like these here in Schuhstrasse.

La ville de Celle, documentée pour la première fois en 990, est réputée pour ses maisons à colombages soigneusement restaurées comme ici dans la rue des chaussures.

Bremen

Bremen

Brême

Kleines Bundesland mit Stil

Das von der Fläche kleinste Bundesland besteht aus den zwei Städten Bremen und Bremerhaven. Während die Stadt Bremen bereits 787 gegründet wurde, besteht Bremerhaven erst seit Beginn des Hafenbaus an der Wesermündung im Jahr 1827. Durch die zunehmende Versandung der Weser wurde der Fluß für größere Schiffe unpassierbar, und Anfang des 19. Jahrhunderts war es für Bremen notwendig geworden, einen zweiten Hafen an der Nordseemündung der Weser zu bauen.

Heute – nachdem das Flußbett mehrfach ausgebaggert und erweitert wurde – ist der ursprüngliche Bremer Hafen der zweitgrößte Seehafen Deutschlands (nach Hamburg).

In Bremen gibt es natürlich noch mehr zu sehen als den Hafen. Am Markt befindet sich das Rathaus. Zu Beginn des 15. Jahrhunderts im gotischen Stil erbaut, stammt seine mit zahlreichen Figuren und Bildern geschmückte Vorderfront jedoch aus der Zeit der Renaissance. Auf dem Marktplatz vor dem Rathaus steht eine riesige Figur mit einem Schild: der Bremer Roland, der die städtischen Rechte und Freiheiten repräsentiert. Ganz in der Nähe steht die Skulptur der international berühmtesten „Bürger" Bremens, der Bremer Stadtmusikanten. Über die Grenzen der Stadt hinaus bekannt ist die Böttcherstraße, deren Gebäude Anfang des 20. Jahrhunderts zum Teil in expressionistischer Weise erneuert wurden. Das schönste alte Viertel der Stadt ist der Schnoor mit Häusern, die im 16. Jahrhundert erbaut wurden. Heute sind hier vor allem kleine, ausgefallene Geschäfte, Cafés und Restaurants zu finden.

A small federal state with style

The smallest state in Germany consists of the two cities of Bremen and Bremerhaven. While Bremen was founded in 787, Bremerhaven has only existed since building was begun on the harbour at the mouth of the River Weser in 1827. Due to increasing silting of the Weser, the river became impassable for larger ships, and at the beginning of the 19th century it became necessary for Bremen to build a second harbour close to the point where the Weser enters the North Sea. Today – after the riverbed has been dredged and widened several times – the original Bremen harbour is Germany's second-largest seaport after Hamburg.

Of course there is a lot more to see in Bremen apart from its harbour. The town hall can be found on the market square. Although constructed in the Gothic style at the beginning of the 15th century, its façade decorated with many figures and images, it was built at the time of the Renaissance. On the market square, in front of the town hall, stands an enormous figure bearing a shield: Bremen Roland, who represents the city's rights and freedom. Close to this is a sculpture of Bremen's internationally best-known "citizens", The Town Band of Bremen. Well-known beyond the city borders is Böttcher Strasse, whose buildings were renewed at the start of the 20th century, some of them in the expressionist style. The city's quaintest old district is Schnoor with houses built in the 16th century. Today this area is filled with small out-of-the-way shops, cafés and restaurants.

Petit état avec style

Le plus petit état dans sa superficie comprend deux villes: Brême et Bremerhaven. Tandis que la ville de Brême a déjà été fondée en 787, Bremerhaven n'existe que depuis le début de la construction du port, dans l'embouchure de la Weser en 1827. A cause de l'ensablement croissant de la Weser, le fleuve devenait impraticable pour les plus grands bateaux et, au début du 19ème siècle, il était devenu nécessaire de construire un second port près de l'embouchure de la Weser dans la mer du Nord. Aujourd'hui, après que le lit du fleuve a plusieurs fois été creusé et agrandi, l'ancien port de Brême est le deuxième port maritime de l'Allemagne après le port de Hambourg.

A Brême il y a bien sûr encore plus à visiter outre le port. Sur le marché se trouve l'hôtel de ville. Il a été construit au début du 15ème siècle dans le style gothique, mais sa façade décoré par de nombreuses figures et peintures remonte à la renaissance. Sur le marché se trouve une immense sculpture avec un panneau: le Roland de Brême, représentant les droits et libertés des villes. A proximité on trouve la sculpture des plus célèbres «citoyens» de Brême: les musiciens de Brême. La Böttcherstrasse, dont les bâtiments ont été remplacés en partie de façon expressioniste, est connue audelà de la ville. Le plus beau ancien quartier de la ville est le Schnoor avec des maisons construites au 16ème siècle. Aujourd'hui on trouve ici surtout des petits magasins peu communs, des cafés et restaurants.

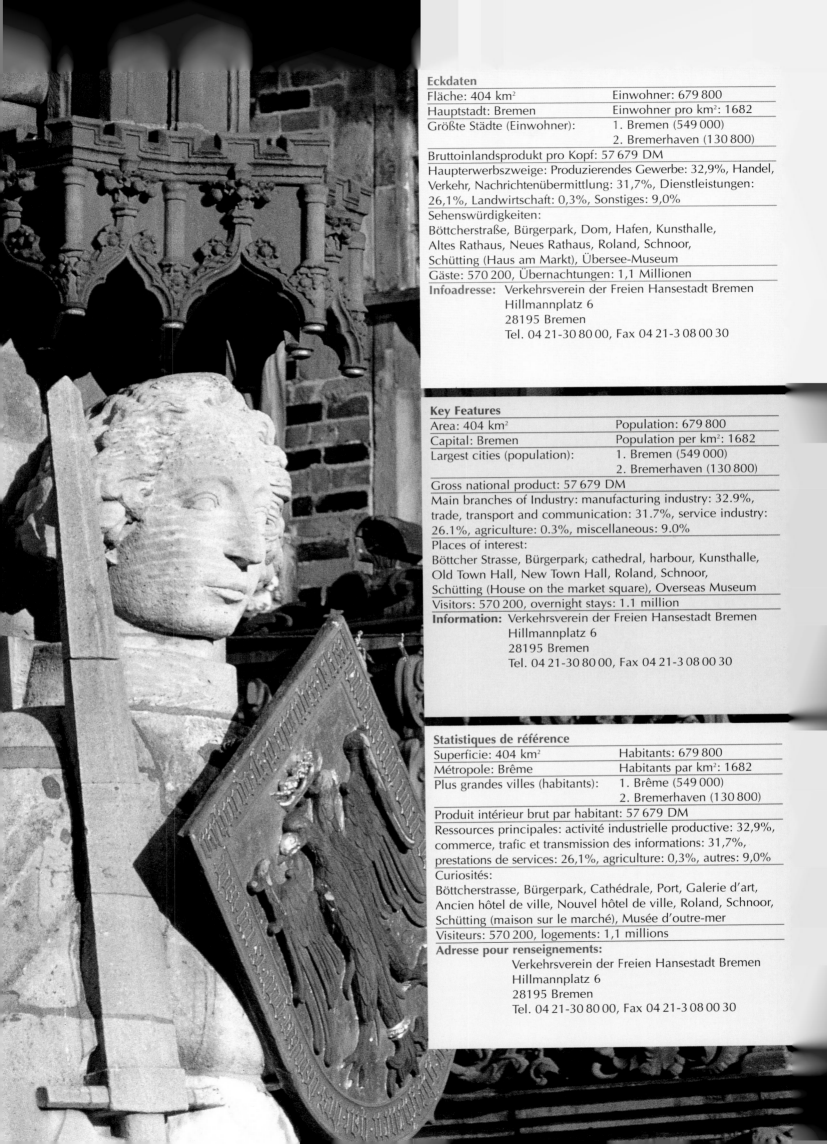

Eckdaten

Fläche: 404 km²	Einwohner: 679 800
Hauptstadt: Bremen	Einwohner pro km²: 1682
Größte Städte (Einwohner):	1. Bremen (549 000)
	2. Bremerhaven (130 800)

Bruttoinlandsprodukt pro Kopf: 57 679 DM

Haupterwerbszweige: Produzierendes Gewerbe: 32,9%, Handel, Verkehr, Nachrichtenübermittlung: 31,7%, Dienstleistungen: 26,1%, Landwirtschaft: 0,3%, Sonstiges: 9,0%

Sehenswürdigkeiten:
Böttcherstraße, Bürgerpark, Dom, Hafen, Kunsthalle, Altes Rathaus, Neues Rathaus, Roland, Schnoor, Schütting (Haus am Markt), Übersee-Museum

Gäste: 570 200, Übernachtungen: 1,1 Millionen

Infoadresse: Verkehrsverein der Freien Hansestadt Bremen
Hillmannplatz 6
28195 Bremen
Tel. 04 21-30 80 00, Fax 04 21-3 08 00 30

Key Features

Area: 404 km²	Population: 679 800
Capital: Bremen	Population per km²: 1682
Largest cities (population):	1. Bremen (549 000)
	2. Bremerhaven (130 800)

Gross national product: 57 679 DM

Main branches of Industry: manufacturing industry: 32.9%, trade, transport and communication: 31.7%, service industry: 26.1%, agriculture: 0.3%, miscellaneous: 9.0%

Places of interest:
Böttcher Strasse, Bürgerpark; cathedral, harbour, Kunsthalle, Old Town Hall, New Town Hall, Roland, Schnoor, Schütting (House on the market square), Overseas Museum

Visitors: 570 200, overnight stays: 1.1 million

Information: Verkehrsverein der Freien Hansestadt Bremen
Hillmannplatz 6
28195 Bremen
Tel. 04 21-30 80 00, Fax 04 21-3 08 00 30

Statistiques de référence

Superficie: 404 km²	Habitants: 679 800
Métropole: Brême	Habitants par km²: 1682
Plus grandes villes (habitants):	1. Brême (549 000)
	2. Bremerhaven (130 800)

Produit intérieur brut par habitant: 57 679 DM

Ressources principales: activité industrielle productive: 32,9%, commerce, trafic et transmission des informations: 31,7%, prestations de services: 26,1%, agriculture: 0,3%, autres: 9,0%

Curiosités:
Böttcherstrasse, Bürgerpark, Cathédrale, Port, Galerie d'art, Ancien hôtel de ville, Nouvel hôtel de ville, Roland, Schnoor, Schütting (maison sur le marché), Musée d'outre-mer

Visiteurs: 570 200, logements: 1,1 millions

Adresse pour renseignements:
Verkehrsverein der Freien Hansestadt Bremen
Hillmannplatz 6
28195 Bremen
Tel. 04 21-3 08 00 00, Fax 04 21-3 08 00 30

Selbstverständlich wurde den Bremer Stadtmusikanten aus dem gleichnamigen Märchen in Bremen ein Denkmal errichtet.

As a matter of course, a monument was erected for the Town Band of
Bremen from the fairy tale of the same name.

Il est évident, qu'on a érigé un monument pour les musiciens de Brême,
connus de l'histoire du même nom.

Rechts oben/right above/à droite ci-dessus:
Das alte Bremer Rathaus mit seinem bedeutenden Figurenzyklus gehört
zu den interessantesten Sehenswürdigkeiten des Stadtstaats.

The Old Bremen Town Hall with its outstanding figure cycle is one of the
town's most interesting sights.

L'ancien hôtel de ville, avec son célèbre cycle de statuettes, fait partie des
plus intéressants monuments de la ville souveraine.

Vorhergehende Seite/previous page/page précédent:
Der Roland, das Wahrzeichen der Stadt Bremen, steht zwar mit Schild
und Schwert auf dem Marktplatz, doch kämpferisch wirkt er nicht.

The Roland, Bremen's landmark, bears sword and shield, but he does not
appear belligerent.

«Le Roland», emblème de la ville de Brême, pose avec son bouclier et
son épée sur la place du marché, sans pour autant donner l'impression
d'être combatif.

Idyllisch wirkt der an der Weser gelegene Bremer Stadtteil Vegesack im
Abendlicht.

The Bremen district of Vegesack on the Weser appears idyllic against the
evening sky.

Vegesack, un quartier de Brême sur les bords de la Weser, paraît idyllique
dans la lumière vespérale.

Mecklenburg-Vorpommern
Mecklenburg-Western Pomerania
Mecklembourg-Poméranie occidentale

Inseln, Meer und 1000 Seen

Mecklenburg-Vorpommern, das im Westen an Schleswig-Holstein und im Osten an Polen grenzt, ist ein Paradies für Urlauber und Naturfreunde: Mehr als 400 Kilometer Ostseeküste, die größte deutsche Insel Rügen, die Mecklenburgische Seenplatte mit Deutschlands größtem Binnensee, der Müritz – das sind nur einige der Besonderheiten, die das dünnbesiedelte Bundesland vorzuweisen hat.

Berühmt ist vor allem Rügen mit seinen Kreidefelsen, die der Maler Caspar David Friedrich zu Beginn des 19. Jahrhunderts auf seinen Bildern verewigt hat. Ein Großteil der Insel steht unter Naturschutz, denn hier finden sich so einmalige Launen der Natur wie die Feuersteinfelder auf der Schmalen Heide, einer Landzunge zwischen den Orten Binz und Saßnitz.

In unmittelbarer Nachbarschaft Rügens liegt Hiddensee, eine langgestreckte Insel, die Teil des Nationalparks Vorpommersche Boddenlandschaft ist. Auch die waldreiche Halbinsel westlich Rügens, die sich in die Gebiete Fischland, Darß und Zingst aufsplittet, gehört zu diesem Nationalpark. In den Bodden, den flachgründigen Meeresbuchten, finden eine Reihe von Küstenvögeln sowie Kraniche reichlich Nahrung, so daß sie in der Vorpommerschen Boddenlandschaft einen idealen Brutplatz haben.

Die Mecklenburgische Seenplatte zwischen Schwerin und Neustrelitz mit ihren vielen großen und kleinen Seen ist ein Souvenir der Eiszeiten. Sie haben diese Landschaft geformt. Das Gebiet um die Müritz, deren Name soviel wie „kleines Meer" bedeutet, ist ebenfalls Nationalpark – schließlich ist dies einer der letzten Orte Deutschlands, wo die selten gewordenen See- und Fischadler nisten.

Kurze Geschichte als eigenständiges Land

Als zusammenhängendes Land existierte Mecklenburg-Vorpommern erstmals 1945, doch kurz nach seiner Gründung wurde es 1952 von der DDR-Regierung wieder in verschiedene Bezirke unterteilt. Erst mit der deutschen Wiedervereinigung im Jahr 1990 wurde die Einheit von Mecklenburg-Vorpommern erneut hergestellt.

Die Region Mecklenburg hingegen hat eine lange Geschichte. Bereits im siebten Jahrhundert siedelten sich die Slawen in diesem Gebiet an. Im zwölften Jahrhundert kam es zur Christianisierung der Bevölkerung durch den Sachsenherzog Heinrich den Löwen. Erstmals im 16. Jahrhundert wurde das Territorium in zwei Herzogtümer aufgeteilt: Mecklenburg-Schwerin und Mecklenburg-Strelitz blieben bis 1934 voneinander getrennt, bis sie unter den Nationalsozialisten zum Land Mecklenburg zusammengeschlossen wurden. Nach dem Zweiten Weltkrieg schließlich wurden die Regionen Mecklenburg und Vorpommern der Sowjetischen Besatzungszone angegliedert.

Von Landwirtschaft und Kultur

Mecklenburg-Vorpommerns Reichtum ist das Land: Jahrhundertelang lebte die Bevölkerung vor allem von der Landwirtschaft. Industrieunternehmen siedelten sich fast ausschließlich an der Küste und in den Städten an. Mit der deutsch-deutschen Wiedervereinigung kam es unter anderem aufgrund von Flächenstillegungen in der Landwirtschaft und dem Zusammenbruch von Industriebetrieben wie Werften zu großen wirtschaftlichen Problemen. Nun setzt das Land verstärkt auf den Tourismus – mit Erfolg: Schließlich hat Mecklenburg-Vorpommern nicht nur landschaftlich, sondern auch kulturell einiges zu bieten.

In der herrlich gelegenen Landeshauptstadt Schwerin lohnt die Besichtigung des Schlosses, das Sitz des Landtags auf der Schloßinsel im Schweriner See ist. Das Staatliche Museum zeigt Werke von so bekannten Künstlern wie Max Liebermann und Lucas Cranach. In Rostock, der größten Stadt des Landes, ist dort, wo ältere Bürgerhäuser erhalten sind, noch das Flair der reichen Hansestadt zu spüren; ähnlich, nur beschaulicher auch in Wismar. Stralsund ist berühmt für seine historischen Backsteinbauten im barocken und gotischen Stil – die Altstadt der am Wasser liegenden Siedlung steht unter Denkmalschutz. Die Hansestadt liegt direkt am Rügendamm, der Verbindung der Insel mit dem Festland. Auch auf Rügen gibt es einige sehenswerte Denkmäler. Das Jagdschloß Granitz, das Mitte des 19. Jahrhunderts gebaut wurde, und das Schloß Putbus aus dem Jahr 1810 mit seinem herrlichen Park lohnen zum Beispiel den Besuch. Sehr beliebt bei Urlaubern ist die Insel Usedom, deren gut restaurierte Kurhotels und Brücken von einer alten bürgerlichen Badekultur zeugen.

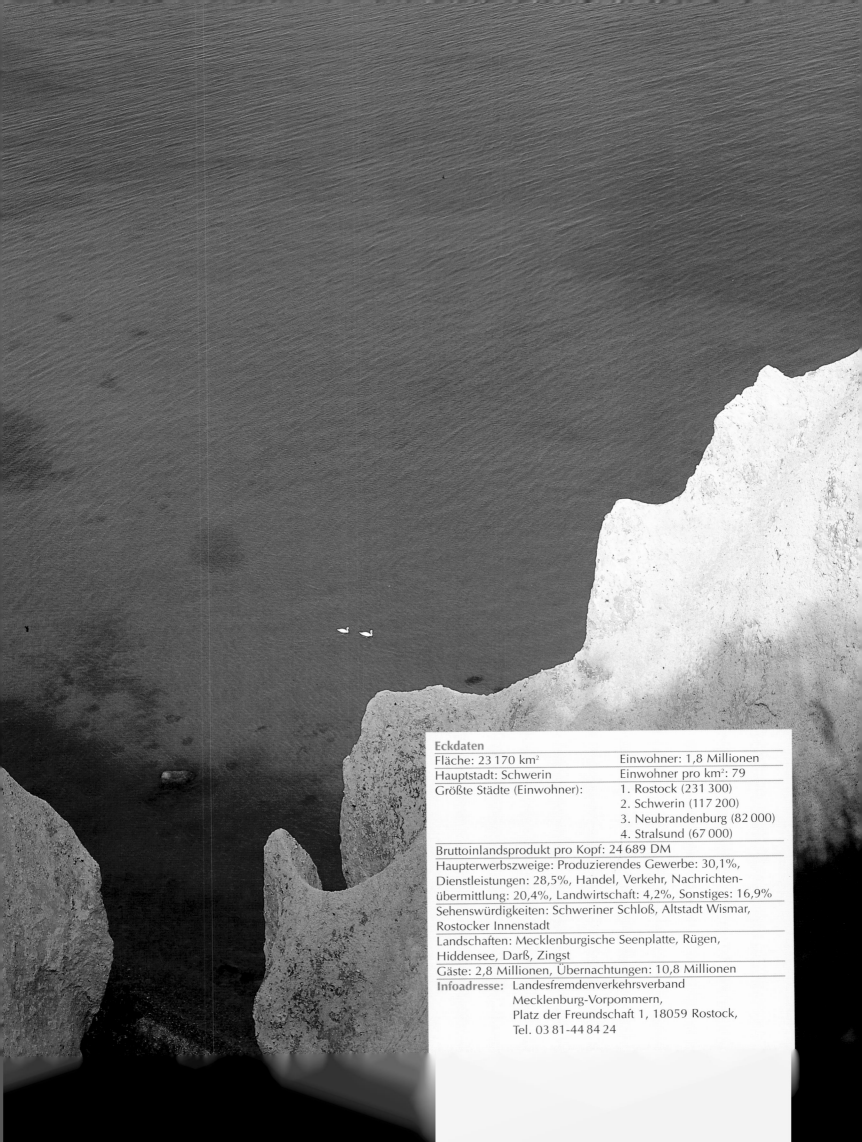

Eckdaten

Fläche: 23 170 km²	Einwohner: 1,8 Millionen
Hauptstadt: Schwerin	Einwohner pro km²: 79
Größte Städte (Einwohner):	1. Rostock (231 300)
	2. Schwerin (117 200)
	3. Neubrandenburg (82 000)
	4. Stralsund (67 000)

Bruttoinlandsprodukt pro Kopf: 24 689 DM

Haupterwerbszweige: Produzierendes Gewerbe: 30,1%, Dienstleistungen: 28,5%, Handel, Verkehr, Nachrichten-übermittlung: 20,4%, Landwirtschaft: 4,2%, Sonstiges: 16,9%

Sehenswürdigkeiten: Schweriner Schloß, Altstadt Wismar, Rostocker Innenstadt

Landschaften: Mecklenburgische Seenplatte, Rügen, Hiddensee, Darß, Zingst

Gäste: 2,8 Millionen, Übernachtungen: 10,8 Millionen

Infoadresse: Landesfremdenverkehrsverband Mecklenburg-Vorpommern, Platz der Freundschaft 1, 18059 Rostock, Tel. 03 81-44 84 24

Mecklenburg-Western Pomerania

Islands, sea and 1000 lakes

Mecklenburg-Western Pomerania, bordering on Schleswig-Holstein to the west and Poland to the east, is a paradise for holidaymakers and nature lovers: More than 400 kilometres of Baltic coast, Germany's largest island, Rügen, the Mecklenburg Lake Plateau with Germany's largest island lake, the Müritz – these are only a few of the specialities that this thinly populated state boasts.

Rügen is especially well-known for its chalk cliffs that were immortalised by Caspar David Friedrich in his paintings at the beginning of the 19th century. A large part of the island is a protected area, since one can find so many of Mother Nature's unique caprices here such as the flint fields on the Schmale Heide (narrow heath), a headland between the towns of Binz and Sassnitz. In the immediate neighbourhood of Rügen is Hiddensee, a long-drawn island and a part of the West Pomeranian Boddenlandschaft National Park. To the west of Rügen the peninsula, rich in forest, which is split up into the regions of Fischland, Darss and Zingst, also belongs to this national park. In the Bodden, the flat marine bight, a great number of coastal birds and cranes find rich pickings so that they have ideal breeding grounds in the West Pomeranian Boddenlandschaft.

The Mecklenburg Lake Plateau with its many small and larger lakes is a souvenir of the Ice Ages that formed this landscape.

The region around the Müritz, which means roughly "small sea" is also a national park – this is, after all, one of the last places in Germany where sea eagles and ospreys still nest.

Key Features	
Area: 23 170 km²	Population: 1.8 million
Capital: Schwerin	Population per km²: 79
Largest cities (population):	1. Rostock (231 300)
	2. Schwerin (117 200)
	3. Neubrandenburg (82 000)
	4. Stralsund (67 000)
Gross national product: 24 689 DM	
Main branches of Industry: manufacturing industry: 30.1%, service industry: 28.5%, trade, transport and communication: 20.4%, agriculture: 4.2%, miscellaneous: 16.9%	
Places of interest: Schwerin Castle, Old Town of Wismar, Rostock inner city	
Regions: Mecklenburg Lake Plateau, Rügen, Hiddensee, Darss, Zingst	
Visitors: 2.8 million, overnight stays: 10.8 million	
Information: Landesfremdenverkehrsverband Mecklenburg-Vorpommern, Platz der Freundschaft 1, 18059 Rostock, Tel. 03 81-44 84 26	

A brief history as an autonomous state

Mecklenburg-Western Pomerania has only existed as a united state since 1945, but shortly after its foundation, the GDR government split it into different regions again in 1952. Mecklenburg-Western Pomerania's unity was only re-established in 1990 after German reunification.

On the other hand the region of Mecklenburg has a long history. Slavs settled here as early as the seventh century. In the twelfth century the population was christianised by the Saxon duke Henry the Lion. In the 16th century the territory was for the first time split into two duchies: Mecklenburg-Schwerin and Mecklenburg-Strelitz remained separated from each other until 1934 when the National Socialists federated them as the state of Mecklenburg. After the war the regions of Mecklenburg and Western Pomerania were annexed to the Soviet zone of occupation.

Agriculture and culture

The Mecklenburg-Western Pomerania's wealth is its land and nature. For centuries, the population lived mainly from agriculture. Industry settled almost exclusively on the coast and in the towns.

German reunification brought with it great economic problems for reasons such as the decommissioning of large areas of farming land and the collapse of industries such as shipbuilding. Now the state is placing a lot of emphasis on tourism – with success. After all Mecklenburg-Western Pomerania does not just have a lot to offer in the way of landscape but also in the cultural field.

A visit to the seat of the state parliament, the castle located on an island in Lake Schwerin in the beautifully situated capital Schwerin, is definitely worthwhile. The national museum exhibits works from such famous artists as Max Liebermann and Lucas Cranach.

In Rostock, the largest city in the state, where old, fine houses are still intact, the flair of a rich Hanseatic town can still be noticed; similar, although more tranquil, is Wismar. Stralsund is known for its historical brick buildings built in the Baroque and Gothic styles – the Old Town, the urban settlement on the water, is classified as a historical monument. The Hanseatic town lies directly on the Rügen dam, which connects the island with the mainland.

There are also several interesting monuments worth visiting on Rügen. The hunting lodge Granitz, built in the middle of the 19th century, and Putbus Castle from 1810 with its wonderful park, for example, are certainly worth visiting. Another favourite with holidaymakers is the island of Usedom, whose well-restored health resorts and bridges are evidence of an old middle-class bathing culture.

Mecklembourg-Poméranie occidentale

Des îles, la mer et 1000 lacs

Mecklembourg-Poméranie occidentale, qui confine à l'ouest à Slesvig-Holstein et à l'est à la Pologne, est un paradis pour vacanciers et pour les amis de la nature. Plus de 400 kilomètres de côte vers la mer baltique, Rügen, la plus grande île allemande, la région des lacs de Mecklembourg avec le plus grand lac de l'Allemagne, le Müritz, ceci ne sont que quelques particularités que cet état, faiblement peuplé, offre. En particulier Rügen est rénommée par ses falaises de craie, que le peintre Caspar David Friedrich a éternisé au début du 19ème siècle sur ses tableaux. Une grande partie de l'île est placée sous réserve protégée, parce qu'ici se trouvent des caprices extraordinaires de la nature comme les champs de silex sur la Lande étroite, une presqu'île entre Binz et Sassnitz. A proximité de Rügen se trouve le lac Hidden. La presqu'île, riche en forêts, à l'est de Rügen se divise entre les régions Fischland, Darss et Zingst et fait aussi partie du parc national. Dans les Bodden, des baies peu profondes, un grand nombre d'oiseaux littoraux ainsi que des grues trouvent de la nourriture en abondance, comme ils trouvent dans la Vorpommersche Boddenlandschaft un couvoir idéal. La région des lacs de Mecklembourg entre Schwerin et Neustrelitz, avec ses nombreux petits et grands lacs est un souvenir de l'époque glaciaire. Elle a formé ce paysage. La région entourant Müritz, dont le nom signifie «petite mer», est aussi un parc national. C'est aussi un des derniers coins en Allemagne où nichent des pygargues et des aigles pêcheurs.

Courte histoire d'un état indépendant

Comme état rattaché, Mecklembourg-Poméranie occidentale existe pour la première fois en 1945, mais juste après sa fondation il fut de nouveau divisé en différents districts par le régime de la RDA en 1952. Seulement après la réunification allemande en 1990, une unité de Mecklembourg-Poméranie occidentale a été rétablie.

La région de Mecklembourg par contre a une longue histoire. Déjà au 17ème siècle, les slaves peuplaient cette région. Au 12ème siècle, le christianisme fut imposé au peuple par le duc de Saxe Henri le Lion. Au 16ème siècle, le territoire était divisé pour la première fois en deux duchés: Mecklembourg-Schwerin et Mecklembourg-Strelitz sont restés séparés jusqu'en 1934, lorsqu'ils ont été unis comme état de Mecklembourg sous le régime national-socialiste. Après la deuxième guerre mondiale finalement, les régions Mecklembourg et Poméranie occidentale ont été affiliés à la zone d'occupation soviétique.

Agriculture et culture

La fortune de Mecklembourg-Poméranie occidentale est le pays même. Durant des siècles, la population vivait en première ligne de l'agriculture. Des entreprises industrielles s'installèrent presque exclusivement sur la côte et dans les villes. Par la réunification allemande d'importants problèmes économiques sont survenus, entre autre à cause de la cessation de l'exploitation des surfaces dans l'agriculture et l'effondrement de certaines entreprises industrielles, comme des chantiers de construction navale. Maintenant l'état se concentre plus sur le tourisme et ceci avec succès. Après tout, Mecklembourg-Poméranie occidentale a beaucoup à offrir, pas seulement en ce qui concerne le paysage mais aussi du point de vue culturel.

Il vaut la peine de visiter le magnifique château dans la capitale Schwerin, siège du Landtag sur l'île de château sur le lac de Schwerin. Le musée national montre des oeuvres d'artistes bien connus comme Max Liebermann et Lucas Cranach. A Rostock, la plus grande ville de l'état, on peut encore sentir le flair de la ville hanséatique riche, là où des anciennes maisons bourgeoises sont encore conservées. On retrouve ça aussi à Wismar, mais là c'est plus contemplatif. Stralsund est célèbre pour ses bâtiments en briques historiques dans le style baroque et gothique. La vieille ville au bord de l'eau est classée sous monument historique. La ville hanséatique est située directement à côté de la digue de Rügen, qui relie l'île avec le continent. A Rügen aussi, il y a quelques monuments remarquables. Le château de Chasse Granitz, qui a été construit au milieu du 19ème siècle, et le château Putbus de l'année 1810 avec son magnifique parc valent une visite. L'île Usedom est très aimée parmi des vacanciers et ses hôtels et ponts bien restaurés sont une preuve de l'ancienne culture balnéaire de la bourgeoisie.

Statistiques de référence	
Superficie: 23 170 km²	Habitants: 1,8 millions
Métropole: Schwerin	Habitants par km²: 79
Plus grandes villes (habitants):	1. Rostock (231 300)
	2. Schwerin (117 200)
	3. Neubrandenburg (82 000)
	4. Stralsund (67 000)
Produit intérieur brut par habitant: 24 689 DM	
Ressources principales: activité industrielle productive: 30,1%, prestations de service: 28,5%, commerce, trafic et transmission des informations: 20,4%, agriculture: 4,2%, autres: 16,9%	
Curiosités: Château de Schwerin, Ancienne ville de Wismar, Centre de Rostock	
Paysages: Région des lacs de Mecklembourg, Rügen, Hiddensee, Darss, Zingst	
Visiteurs: 2,8 millions, logements: 10,8 millions	
Adresse pour renseignements: Landesfremdenverkehrsverband Mecklenburg-Vorpommern, Platz der Freundschaft 1, 18059 Rostock, Tel. 03 81-44 84 26	

Links/left/à gauche:
Nicht immer ist der Strand nahe
der Seebrücke von Ahlbeck auf
Usedom so ausgestorben.

The beach near the Ahlbeck bridge
on Usedom is not always so empty.

La plage près du pont maritime
d'Ahlbeck sur l'île d'Usedom n'est
pas toujours aussi déserte.

Rechts/right/à droite:
Auf die Ostsee mit ihren Möwen
blickt der „Holzmann" im Seebad
Kühlungsborn.

The "Holzmann" in the seaside
resort Kühlungsborn looks at the
Baltic Sea and its seagulls.

«L'homme de bois» de la station
balnéaire de Kühlungsborn dirige
son regard vers la mer Baltique et
ses mouettes.

Rechts unten/right below/ à droite
ci-dessus:
Zahlreiche romantische Plätze,
zum Beispiel an den Bootshäusern,
sind im Künstlerdorf Ahrenshoop
zu finden.

In the artists' village of Ahrenshoop
there are many romantic places to
be found, for example by the
boathouses.

Dans le village d'artistes d'Ahrenshoop, on trouve de nombreux endroits romantiques – par exemple
près des remises à bateaux.

Seite 37/page 37:
Die Kreidefelsen auf der Insel
Rügen verewigte bereits der
Künstler Caspar David Friedrich
auf seinen Bildern.

The artist Caspar David Friedrich
immortalized the chalk cliffs on the
island of Rügen in his paintings.

Le peintre Caspar David Friedrich
immortalisait déjà les falaises de
craie sur l'île de Rügen.

Vorhergehende Doppelseite/
previous pages/pages précédente:
Stralsund beeindruckt nicht nur
durch ihre Backsteinbauten, auch
der Yachthafen ist einen Besuch
wert.

Stralsund is not just impressive
because of its brick buildings – the
yacht harbour is also worth a visit.

Stralsund n'impressionne pas
seulement par ses bâtisses en bri-
que; son port de plaisance mérite
également une visite.

43

Links/left/à gouche:
Die spätgotische Marienkirche auf Usedom ist sogar von weitem ein Blickfang.

The late Gothic St. Mary's Church on Usedom is eye-catching even from a distance.

Sainte Marie, église en style gothique flamboyant sur l'île d'Usedom, est un point d'attraction, qui se repère même de loin.

Rechts/right/à droite:
Der Künstlerort Ahrenshoop hat sich seinen Dorfcharakter bis heute erhalten.

The artists' village of Ahrenshoop has kept its village character to the present day.

Le village d'artistes d'Ahrenshoop a pu conserver jusqu'aujourd'hui son cachet champêtre.

Links unten/left below/à gauche ci-dessus:
Die kleine Insel Hiddensee mit ihrem Leuchtturm ist der Insel Rügen vorgelagert.

The small island of Hiddensee with its lighthouse is offshore from the island of Rügen.

La petite île de Hiddensee avec son phare est située devant l'île de Rügen.

Rechts/right/à droite:
Die alte Bockwindmühle in Klockenhagen ist eine der wenigen gut erhaltenen Windmühlen ihrer Art.

The old windmill in Klockenhagen is one of the few remaining windmills of its type still in good condition.

Le vieux moulin à tivot à Klockenhagen est un des rares moulins à vent de ce style bien conservé.

Folgende Doppelseite/following pages/pages suivantes:
Das Schloß in der mecklenburgischen Landeshauptstadt Schwerin dient heute als Sitz des Landtags.

The castle in the Mecklenburg capital Schwerin is the seat of the diet.

Le château de la capitale du Land de Mecklembourg sert aujourd'hui de siège pour le «Landtag».

Brandenburg
Brandenburg
Brandebourg

Land der Seen und Flüsse

Es ist vor allem die Landschaft, die den Reiz Brandenburgs ausmacht. Die zahlreichen Flüsse und Seen des flächenmäßig fünftgrößten Bundeslandes sind ein Überbleibsel der letzten Eiszeit, genau wie die großen Findlinge, die über Brandenburg verstreut sind. Im Nordosten des Bundeslandes liegt die Uckermark mit dem großen UNESCO-Biosphärenreservat Schorfheide-Chorin, das etwa zur Hälfte aus Wald besteht. Kein Wunder, daß zu Zeiten der DDR die Schorfheide ein beliebtes Jagdrevier der Parteigrößen war, was sich leider nicht gerade zugunsten der Natur auswirkte. Heute hingegen wird Naturschutz großgeschrieben.

Tiefer im Süden, in der Niederlausitz, die vor allem durch die Kraterlandschaften des Braunkohletagebaus bekannt ist, befindet sich ein weiteres Biosphärenreservat: der Spreewald. Diese in Mitteleuropa einmalige Auenlandschaft ist eine bis zu 16 Kilometer breite und rund 45 Kilometer lange Senke, in der sich der Fluß Spree in viele kleine Arme gabelt. In diesem Gebiet, wo der Verkehr vor allem per Boot stattfindet, leben zahlreiche seltene Vögel, Insekten und Pflanzen.

In der Region um die Flüsse Oder, Spree und Dahme sind zahlreiche Seen, aber auch Sümpfe und Moore zu finden – ein Paradies für gefährdete Tierarten wie Fischotter und Störche. Ein wenig östlich von Berlin, das von Brandenburg umschlossen ist, liegt der Naturpark Märkische Schweiz, eine Hügellandschaft mit viel Wald und wiederum einer Reihe von Seen. Wer das Gedicht „Herr von Ribbeck auf Ribbeck im Havelland" kennt, mit dem der in Brandenburg geborene Dichter Theodor Fontane die havelländischen Birnen rühmt, kann bereits erahnen, daß im Havelland – einem Landstrich westlich Berlins – der Obstanbau dominiert.

Von der Mark Brandenburg zum Bundesland

Die eigentliche Geschichte Brandenburgs begann im vierten Jahrhundert, als germanische Stämme die Region verließen. Ab dem fünften Jahrhundert siedelten sich slawische Volksstämme auf dem Gebiet des späteren Brandenburg an. Kaiser Karl der Große versuchte im neunten Jahrhundert – nur zum Teil mit Erfolg –, die nun als Mark Brandenburg bezeichnete Region seinem Reich anzugliedern. Erst im 12. Jahrhundert gelang es Albrecht I., dem Bär, Brandenburg unter seine Herrschaft zu stellen – 1157 nahm er den Titel eines Markgrafen von Brandenburg an. In den folgenden Jahrhunderten änderte die Mark Brandenburg durch Gebietsgewinne und -verluste der Herrscher immer wieder ihre Größe, bis sie 1701 Teil des preußischen Königreichs wurde.

1740 trat Friedrich II., der Große, die Herrschaft über Preußen an. Als Kunstliebhaber prägte er unter anderem mit dem Bau des Schlosses Sanssouci in Potsdam das Bild des späteren Brandenburg entscheidend mit.

1815 wurde Brandenburg eine Provinz Preußens, bis es 1945 nach dem Zweiten Weltkrieg der sowjetischen Besatzungszone angegliedert wurde; die ehemals brandenburgischen Gebiete östlich von Oder und Neiße fielen an Polen. Zu Zeiten der DDR war Brandenburg in drei Verwaltungsbezirke aufgeteilt. Nach der deutsch-deutschen Wiedervereinigung wurde Brandenburg schließlich Bundesland. 1996 lehnten die Brandenburger Bürger in einer Volksabstimmung den Zusammenschluß ihres Landes mit Berlin ab.

Sanssouci und andere Kleinode

Das berühmteste Baudenkmal Brandenburgs ist sicherlich das Schloß Sanssouci in der Landeshauptstadt Potsdam, das 1745–1747 unter der Herrschaft des „Alten Fritz" (Friedrich II.) als dessen Sommerresidenz gebaut wurde. Dieses Hauptwerk des deutschen Rokoko wurde von der UNESCO als erhaltenswertes Weltkulturerbe ausgezeichnet. Im Park von Sanssouci befinden sich ein chinesischer Teepavillon (1754), das Neue Palais mit über 200 Räumen sowie eine Bildergalerie. Auch das Schloß Charlottenhof, 1826 von dem berühmten Architekten Karl Friedrich Schinkel geplant, ist am Rande des Parks von Sanssouci zu finden.

In Brandenburg, der ältesten Stadt des Bundeslandes, findet sich zugleich das älteste Bauwerk: der Dom St. Peter und Paul aus dem Jahr 1165. Cottbus, das erstmals 1156 erwähnt wurde, hat einen Altmarkt mit Häusern aus dem 17. bis 19. Jahrhundert vorzuweisen. Wer modernere Bauten vorzieht, findet hier auch ein im Jugendstil errichtetes Theater. Über ganz Brandenburg verstreut sind alte Schlösser und wunderbare Parks, einige davon vom Altmeister der Gartenbaukunst, Fürst von Pückler-Muskau, gestaltet (z.B. Babelsberg, Branitz).

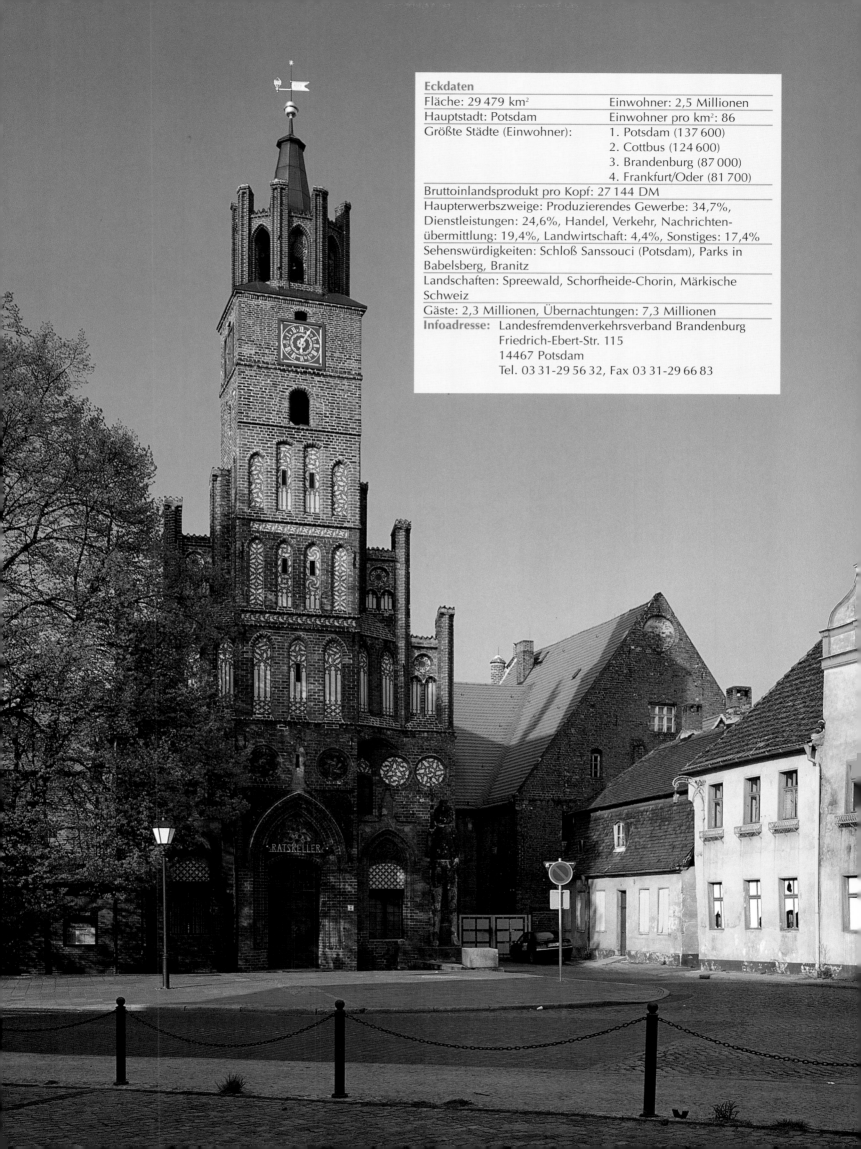

Eckdaten

Fläche: 29 479 km²	Einwohner: 2,5 Millionen
Hauptstadt: Potsdam	Einwohner pro km²: 86

Größte Städte (Einwohner):
1. Potsdam (137 600)
2. Cottbus (124 600)
3. Brandenburg (87 000)
4. Frankfurt/Oder (81 700)

Bruttoinlandsprodukt pro Kopf: 27 144 DM

Haupterwerbszweige: Produzierendes Gewerbe: 34,7%, Dienstleistungen: 24,6%, Handel, Verkehr, Nachrichten-übermittlung: 19,4%, Landwirtschaft: 4,4%, Sonstiges: 17,4%

Sehenswürdigkeiten: Schloß Sanssouci (Potsdam), Parks in Babelsberg, Branitz

Landschaften: Spreewald, Schorfheide-Chorin, Märkische Schweiz

Gäste: 2,3 Millionen, Übernachtungen: 7,3 Millionen

Infoadresse: Landesfremdenverkehrsverband Brandenburg
Friedrich-Ebert-Str. 115
14467 Potsdam
Tel. 03 31-29 56 32, Fax 03 31-29 66 83

Brandenburg

Land of lakes and rivers

It is, above all, Brandenburg's landscape that lends it its charm. The many rivers and lakes in Germany's fifth largest state are relics from the last Ice Age, just like the large erratic blocks which are found scattered all over Brandenburg. In the northwest of the state is the Uckermark with the large UNESCO biosphere reserve Schorfheide-Chorin, which consists roughly of 50% forest. It is not surprising that in GDR times the Schorfheide was a favourite hunting ground for the big names in the Communist Party, a fact that did not exactly benefit nature. However, these days nature conservation is considered essential.

Further south, in Lower Lusatia, which is above all well-known for its cratered landscape caused by lignite mining, can be found a further biosphere reserve – Spreewald. This meadowland, unique in Central Europe, is an up to 16 kilometre wide and around 45 kilometre long depression in which the River Spree forks into many small branches. In this region, where transport is mainly by boat, live many rare birds, insects and plants.

In the region around the rivers Oder, Spree and Dahme, there are many lakes, bogs and moors to be found – a paradise for endangered species such as otters and storks. A little to the east of Berlin, which is surrounded by Brandenburg, is the nature park Märkische Schweiz, a hilly landscape with lots of forest and also several lakes. Anyone who knows the poem "Herr von Ribbeck auf Ribbeck im Havelland" with which the writer Theodor Fontane, a native of Brandenburg, made the Havelland pears famous, can already guess that fruit plantations play a big role in Havelland – a region west of Berlin.

From the Brandenburg Marches to a federal state

The actual history of Brandenburg began in the fourth century when Germanic tribes left the region. From the fifth century, Slavic tribes settled on what was later to become Brandenburg. Charlemagne attempted in the nineth century – only with partial success – to annex the region which was now known as the Brandenburg Marches to his realm. It was not until the 12th century that Albrecht I, the Bear, was able to place Brandenburg under his rule – in 1157 he assumed the title of Margrave of Brandenburg. In the following centuries the Brandenburg Marches continued to alter in size through its rulers gaining and losing land, until in 1701 it became a part of the Prussian kingdom.

1740, Frederick II, the Great, acceded to the Prussian throne. As an art lover he was decisive in forming the later Brandenburg by building, among other things, the famous Sanssouci Palace in Potsdam.

In 1815 Brandenburg became a Prussian province until in 1945, after World War II, it became a part of the Soviet zone of occupation; the former Brandenburg area east of the rivers Oder and Neisse fell to Poland. In GDR times, Brandenburg was divided into three administrative districts. After German reunification Brandenburg became a federal state. In a referendum in 1996 the people of Brandenburg turned down the federation of their state with Berlin.

Sanssouci and other gems

Brandenburg's most famous architectural monument is surely Sanssouci Palace in its capital Potsdam, built in 1745 – 1747 under the rule of Frederick the Great as his summer residence. This important example of German rococo was distinguished by the UNESCO as a cultural heritage worthy of maintaining. In Sanssouci Park, there is a Chinese tea pavilion (1754), the New Palace with more than 200 rooms and a picture gallery. Charlottenhof Castle, designed in 1826 by the famous architect Karl Friedrich Schinkel, can also be found on the edge of Sanssouci Park.

Brandenburg, the oldest city in the state also has the oldest building: St Peter and Paul Cathedral from 1165. Cottbus, first officially mentioned in 1156, has an Old Market with houses from the 17th to 19th centuries. Those preferring modern architecture will also find a theatre built in the Art Nouveau style. Throughout Brandenburg there are old castles and wonderful parks, some of which were designed by the master of horticulture, Prince von Pückler-Muskau for example Babelsberg and Branitz.

Key Features	
Area: 29 479 km²	Population: 2.5 million
Capital: Potsdam	Population per km²: 86
Largest cities (population):	1. Potsdam (137 600)
	2. Cottbus (124 600)
	3. Brandenburg (87 000)
	4. Frankfurt/Oder (81 700)
Gross national product: 27 144 DM	
Main branches of Industry: manufacturing industry: 34.7%, service industry: 24.6%; trade, transport and communication: 19.4%, agriculture: 4.4%, miscellaneous: 17.4%	
Places of interest: Sanssouci Palace (Potsdam), parks in Babelsberg, Branitz	
Regions: Spreewald, Schorfheide-Chorin, Märkische Schweiz	
Visitors: 2.3 million, overnight stays: 7.3 million	
Information: Landesfremdenverkehrsverband Brandenburg Friedrich-Ebert-Str. 115 14467 Potsdam Tel. 03 31-29 56 32, Fax 03 31-29 66 83	

Brandebourg

Le pays des lacs et des rivières

C'est en particulier le paysage qui constitue le charme de Brandebourg. Les nombreuses rivières et lacs du cinquième état par sa grandeur sont un reste de la dernière époque glaciaire comme les grands blocs erratiques dispersés à travers Brandebourg. Dans le nord-ouest de l'état se trouve Uckermark avec la grande réserve de biosphère de l'UNESCO, Schorfheide-Chorin, qui consiste en moitié en forêt. Il n'est donc pas étonnant que Schorfheide était une chasse gardée des chefs de partis pendant le temps de la RDA, ce qui n'a malheureusement pas profité à la nature.

Plus bas dans le sud, dans la Niederlausitz, qui est en particulier connue à cause de ses paysages de cratères résultant de l'exploitation à ciel ouvert de la lignite, se trouve une autre réserve de biosphère: le Spreewald. Ce paysage de prairies unique en Europe centrale est une dépression de terrain, comptant une largeur jusqu'à 16 kilomètres et environ 45 kilomètres de longueur et dans laquelle le fleuve Spree fait fourche dans de nombreux bras. Dans cette région où le trafic s'effectue surtout par bateau, vivent de nombreux oiseaux, des insectes et des plantes rares.

Dans la région autour des fleuves Oder, Spree et Dahme se trouve un grand nombre de lacs, mais aussi des marais et des marécages, c'est-à-dire un véritable paradis pour des espèces d'animaux menacés, comme les loutres et les cigognes. A l'est de Berlin, entouré de Brandebourg, se trouve le parc national Märkische Schweiz, un paysage de collines avec beaucoup de forêts et une série de lacs. Celui qui connaît le poème «Herr von Ribbeck auf Ribbeck im Havelland», par lequel le poète Theodor Fontane né à Brandebourg glorifie les poires de Havelland, devine déjà que, dans le Havelland une région à l'ouest de Berlin, l'arboriculture domine.

De la Marche de Brandebourg à un état

La véritable histoire de Brandebourg remonte au 4ème siècle, lorsque les peuples germains ont quitté la région. A partir du 5ème siècle des ethnies slaves se sont installées dans la région de Brandebourg ultérieur. L'empereur Charlemagne essaya au 9ème siècle partiel d'annexer la région maintenant dénommée Marche de Brandebourg à son empire. Au 12ème siècle seulement, Albert Ier, l'Ours, était capable de soumettre Brandebourg à son pouvoir. A cause des gains et pertes de terrains des empereurs, la Marche de Brandebourg changea toujours sa grandeur pendant les siècles suivants. En 1740 le règne de Frédéric II, le Grand sur la Prusse commençait. Etant passioné d'art, il a entre autre marqué définitivement l'image du futur Brandebourg en faisant édifier le château Sanssouci à Potsdam.

En 1815, Brandebourg devenait une province de la Prusse jusqu'à ce qu'il fut rattaché à la zone d'occupation soviétique en 1945, après la deuxième guerre mondiale et les territoires à l'est de l'Oder ou Neisse appartenant autrefois à Brandebourg, tombaient à la Pologne. Pendant le temps de la RDA, Brandebourg était divisé en trois districts administratifs. Après la réunification allemande, Brandebourg devenait finalement un état. En 1996, les habitants de Brandebourg ont refusé par une pétition l'union de leur état à Berlin.

Sanssouci et autre joyau

Le monument le plus célèbre de Brandebourg est certainement le château Sanssouci à Potsdam, la capitale de l'état. Il a été construit sous le règne du Frédéric II comme résidence d'été. L'oeuvre principale du rococo allemand a été désignée par l'UNESCO comme héritage culturel mondial digne d'être conservé. Dans le parc de Sanssouci se trouvent un pavillon de thé chinois (1754), le nouveau Palais avec plus de 200 chambres et une galerie de tableaux. Le château Charlottenhof, qui a été projeté par le célèbre architecte Karl Friedrich Schinkel, se trouve aussi aux abords du parc de Sanssouci. A Brandebourg, la plus vieille ville de l'état, se trouve en même temps le monument le plus vieux: la cathédrale St. Pierre et Paul de l'année 1165. Cottbus présente un ancien marché avec des maisons du 17ème au 19ème siècle. Celui qui préfère les bâtiments modernes, trouve ici aussi un théâtre construit dans le style de 1900. Dispersés à travers de Brandebourg on trouve des anciens châteaux et de merveilleux parcs, dont quelques-uns sont créés par l'ancien maître de l'art de jardinage, le prince de Pückler-Muskau (Babelsberg, Branitz).

Statistiques de référence	
Superficie: 29 479 km²	Habitants: 2,5 millions
Métropole: Potsdam	Habitants par km²: 86
Plus grandes villes (habitants):	1. Potsdam (137 600)
	2. Cottbus (124 600)
	3. Brandebourg (87 000)
	4. Francfort/Oder (81 700)
Produit intérieur brut par habitant: 27 144 DM	
Ressources principales: activité industrielle productive: 34,7%, prestations de services: 24,6%, commerce, trafic et transmission des informations: 19,4%, agriculture: 4,4%, autres: 17,4%	
Curiosités: Château Sanssouci (Potsdam), Parcs à Babelsberg, Branitz	
Paysages: Spreewald, Schorfheide-Chorin, Märkische Schweiz	
Visiteurs: 2,3 millions, logements: 7,3 millions	
Adresse pour renseignements: Landesfremdenverkehrsverband Brandenburg Friedrich-Ebert-Str. 115 14467 Potsdam Tel. 03 31-29 56 32, Fax 03 31-29 66 83	

Links/left/à gauche:
Ein Blick über einen Havelarm zur Burgmühle in Brandenburg.

A view over a branch of the Havel to Burgmühle in Brandenburg.

Un regard au-dessus d'un bras de la Havel en direction du moulin du château fort de Brandebourg.

Rechts/right/à droite:
Ein Paradies für seltene Pflanzen und Tiere ist der brandenburgische Spreewald.

The Brandenburg Spreewald is a paradise for rare flora and fauna.

La forêt brandebourgoise, la Spreewald, est un paradis pour plantes et animaux rares.

Links/left/à gauche:
Die alte Abtei des Klosters Zinna strahlt eine tiefe Ruhe aus.

The old abbey of the Zinna Monastery emanates a deep sense of tranquillity.

La veille abbaye du couvent de Zinna respire un calme profond.

Seite 49/page 49:
In der an der Havel liegenden Stadt Brandenburg finden sich viele im klassizistischen Stil erbaute Bürgerhäuser.

In the city of Brandenburg on the Havel there are many houses built in the classical style.

Dans la vieille de Brandebourg, située sur la Havel, se trouvent de nombreuses maisons bourgeoises construites dans le style classique.

Die Alte Wache in Potsdams Charlottenstraße zeugt von der früheren Bedeutung der Stadt.

The old guardroom in Potsdam's Charlottenstrasse is evidence of the city's erstwhile importance.

L'Ancienne Garde dans la rue de Charlotte à Potsdam témoigne de l'ancienne importance de la ville.

Rechts oben/right above/à droite ci-dessus:
Beim Betrachten des Spremberger Turms in Cottbus fühlt man sich ins Mittelalter zurückversetzt.

When looking at the Spremberg Tower in Cottbus, you feel as if you have stepped back into the Middle Ages.

On se sent transporté au moyen âge face à la Tour de Spremberg, à Cottbus.

Folgende Doppelseite/following pages/pages précédentes:
Im Park des Schlosses Sanssouci bei Potsdam liegt das Neue Palais mit seinen mehr als 200 Räumen.

The New Palace with more than 200 rooms lies in the park of Sanssouci Palace near Potsdam.

Dans le parc du château de Sanssouci, près de Potsdam, se trouve le Nouveau Palais avec ses plus de deux cent pièces.

Schloß Branitz bei Cottbus: Von dem berühmten Gartenarchitekten Fürst von Pückler-Muskau wurde der Park des Schlosses gestaltet, auch die Inschrift am Portal des Schlosses nennt seinen Namen.

Branitz Castle near Cottbus: The park in the castle was designed by the famous landscape gardener Prince of Pückler-Muskau, his name is even indicated on the portal of the castle.

Le château de Branitz près de Cottbus: Le parc du château fut créé par le célèbre architecte paysagiste, le prince de Pückler-Muskau, son nom est également indiqué sur le portail du château.

Berlin

Untrennbar miteinander verbunden – Deutschlands und Berlins Geschichte

Berlin, das von der Fläche drittkleinste, von der Einwohnerzahl jedoch achtgrößte Bundesland Deutschlands hat eine wechselvolle Geschichte hinter sich. Die Ende des 12. Jahrhunderts gegründete Stadt entwickelte sich rasch zum Zentrum der Wirtschaft, von ihr gingen außerdem immer wieder neue politische wie auch intellektuelle Strömungen aus. So war Berlin 1848 beispielsweise Ausgangspunkt der Märzrevolution, mit der eine liberale Verfassung durchgesetzt werden sollte. 1871 wurde Berlin deutsche Reichshauptstadt; sechs Jahre später hatte sie bereits eine Million Einwohner. Nach der Niederlage des Deutschen Reichs im Ersten Weltkrieg 1918 wurde in Berlin die Deutsche Republik ausgerufen. In den „Roaring Twenties", den wilden 20er Jahren, besaß Berlin eine der lebendigsten und vielseitigsten Kulturszenen weltweit.

Im Zweiten Weltkrieg wurde der Regierungssitz der Nationalsozialisten fast völlig zerstört – nach dem Krieg teilten die Siegermächte USA, UdSSR, Frankreich und Großbritannien die Stadt in vier Sektoren auf und stellten sie unter gemeinsame Verwaltung.

Der Konflikt zwischen den drei Westmächten und der Sowjetunion über den Status von Berlin führte im Jahr 1948 zur Blockade der Westsektoren durch die UdSSR. Nur durch eine Luftbrücke (bis 1949) konnte die Versorgung der Bevölkerung mit Lebensmitteln sichergestellt werden. Schließlich kam es 1949 zur Teilung Deutschlands in die DDR und die Bundesrepublik und gleichzeitig zur Spaltung Berlins. 1961 ließ die DDR die Berliner Mauer errichten, um die Massenflucht von Menschen nach Westberlin zu stoppen. 1989 erzwang die Bevölkerung der DDR eine Öffnung der Grenzen zur Bundesrepublik; am 9. November 1989 fiel – symbolisch gesprochen – die Mauer. Seit 1990 ist das wiedervereinigte Berlin die Hauptstadt Deutschlands.

Viel zu sehen, viel zu entdecken

In der größten Stadt Deutschlands sind trotz der Zerstörungen des Zweiten Weltkriegs zahlreiche Sehenswürdigkeiten erhalten geblieben, zum Teil wurden sie auch wiederaufgebaut. Das Wahrzeichen Berlins ist das im klassizistischen Stil von 1788 bis 1791 erbaute Brandenburger Tor. Erst nach dem Fall der Mauer wurde es im Dezember 1989 wieder möglich, durch das Tor hindurch zu gehen. Die Kaiser-Wilhelm-Gedächtnis-Kirche (Bauzeit: 1891 bis 1895), die im Zweiten Weltkrieg zerstört wurde, wurde wiederaufgebaut – allerdings ragt der zerbombte Westturm als Mahnmal gegen den Krieg noch heute in den Himmel.

Allein wegen der Gebäude ist die Museumsinsel in Berlin-Mitte einen Besuch wert. Das Alte Museum wurde im klassizistischen Stil vom berühmten Architekten Karl Friedrich Schinkel erbaut und zeigt vorrangig Sonderausstellungen. Das Neue Museum wurde in seiner Bauweise dem Alten Museum angepaßt. Weiterhin beherbergt die Museumsinsel die Alte Nationalgalerie (Kunst des 18. und 19. Jahrhunderts), das Pergamonmuseum (Antikensammlung, Pergamonaltar) und das Bode-Museum (Ägyptisches Museum, Gemäldesammlung), das im neobarocken Stil errichtet wurde.

In der Nähe der Museumsinsel befindet sich der Berliner Dom, der 1893–1905 im Stil der italienischen Hochrenaissance gebaut wurde. Der Reichstag und der Sitz des Regierenden Bürgermeisters, wegen seiner Farbe Rotes Rathaus genannt, sowie Schloß Charlottenburg zählen zu den weiteren baulichen Sehenswürdigkeiten Berlins.

Pulsierende Metropole Berlin

Berlin gilt Ende des 20. Jahrhunderts als größte Baustelle Deutschlands – nicht zuletzt, weil Regierung und Parlament von Bonn in die Hauptstadt umziehen sollen und große Konzerne neue Bürohäuser errichten. Mehr denn je zieht Berlin Künstler, Literaten, Schauspieler und Musiker aus aller Welt an. Die zahlreichen Galerien rund um den Kurfürstendamm sowie in Kreuzberg und Prenzlauer Berg zeigen die unterschiedlichsten Kunstrichtungen: von etablierter bis zu moderner Kunst, von Gemälden und Plastiken hin zu Videoinstallationen.

Die bekannteste Einkaufsmeile Berlins ist nach wie vor der etwa dreieinhalb Kilometer lange Kurfürstendamm, an dem auch das berühmte Café Kranzler liegt. In der Nähe des Ku'damms, an der Tauentzienstraße, befindet sich das bekannteste Kaufhaus Berlins, das KaDeWe oder Kaufhaus des Westens, wo die Verkäufer oft schicker sind als die Kunden und dessen Feinschmeckeretage alles bietet, was das Herz begehrt.

Eckdaten

Fläche: 889 km^2	Einwohner: 3,5 Millionen
Hauptstadt: Berlin	Einwohner pro km^2: 3897

Bruttoinlandsprodukt pro Kopf: 43 380 DM

Haupterwerbszweige:
Dienstleistungen: 34,9%, Produzierendes Gewerbe: 26,6%,
Handel, Verkehr, Nachrichtenübermittlung: 22,4%,
Landwirtschaft: 0,6%, Sonstiges: 15,7%

Sehenswürdigkeiten:
Alexanderplatz, Alte Nationalgalerie, Brandenburger Tor, East
Side Gallery, Kaiser-Wilhelm-Gedächtniskirche, Kaufhaus des
Westens, Kurfürstendamm, Museumsinsel, Neue National-
galerie, Palais Unter den Linden, Reichstag, Rotes Rathaus,
Schloß Bellevue, Schloß Charlottenburg

Gäste: 3,2 Millionen, Übernachtungen: 7,4 Millionen

Infoadresse: Berlin Tourismus Marketing GmbH
Am Karlsbad 11
10785 Berlin
Tel. 0 30-25 00 25

Berlin

Connected inseparably with one another – German and Berlin history

Berlin, as regards size, the third smallest state in Germany, but with the eighth largest population, has an eventful history behind it. The city, founded at the end of the 12th century, rapidly developed to become an economic centre while at the same time nurturing many new political and intellectual movements. For example, in 1848 Berlin was the starting point of the March Revolution whose aim was to force through a liberal constitution.

In 1871, Berlin became the capital of the German Reich, six years later it already boasted a population of one million. After the defeat of the German Reich in World War I in 1918, the German Republic was proclaimed in Berlin. In the "roaring twenties" Berlin had one of the most lively and varied cultural scenes world-wide.

In World War II the governmental seat of the National Socialists was almost completely destroyed – after the war the victorious powers – USA, USSR, France and Great Britain – split the city into four sectors and placed it under Allied administration. In 1948, the conflict between the three western powers and the Soviet Union as to Berlin's status led to a blockade of the western sectors by the USSR. Food supplies to the population were only able to be guaranteed by airlifts (until 1949). Finally, in 1949, Germany was split up into the German Democratic Republic and the Federal Republic and at the same time Berlin was divided. In 1961 the GDR hat the Berlin Wall built in order to stop the mass exodus of people to West Berlin.

Key Features	
Area: 889 km²	Population: 3.5 million
Capital: Berlin	Population per km²: 3897
Gross national product: 43 380 DM	
Main branches of Industry: service industry: 34.9%, manufacturing industry: 26.6%, trade, transport and communication: 22.4%, agriculture: 0.6%, miscellaneous: 15.7%	
Places of interest: Alexanderplatz, Old National Gallery, Brandenburg Gate, East Side Gallery, Emperor Wilhelm Memorial Church, Kaufhaus des Westens, Kurfürstendamm, Museum Island, New National Gallery, Palais Unter den Linden, Reichstag, Red Town Hall, Bellevue Palace, Charlottenburg Castle	
Visitors: 3.2 million, overnight stays: 7.4 million	
Information: Berlin Tourismus Marketing GmbH Am Karlsbad 11 10785 Berlin Tel. 0 30-25 00 25	

In 1989 the people of the GDR forced an opening of the borders to the Federal Republic, and on 9 November 1989 the Wall fell – symbolically speaking. Since 1990, the re-unified city of Berlin is Germany's capital.

Lots to see, lots to discover

In Germany's largest city many places of interest remained intact in spite of the destruction of World War II, in some cases they were rebuilt. Berlin's landmark is the Brandenburg Gate, built in the classical style between 1788 and 1791. It was only after the Wall fell, in December 1989, that it was possible to pass through the gate once again.

The Emperor Wilhelm Memorial Church (built 1891–1895) which was destroyed in World War II was rebuilt, though the bombed west tower still looms in the sky today as a memorial against war.

The Museum Island in the centre of Berlin is worth a visit for the buildings alone. The Old Museum was built in the classical style by the famous architect Karl Friedrich Schinkel and mainly holds special exhibitions. The style of architecture of the New Museum was adapted to the Old Museum. Furthermore, the Museum Island contains the Old National Gallery (art of the 18th and 19th centuries), the Bergamon Museum (antique collection, Bergamon altar) and the Bode Museum (Egyptian museum, painting collection) which was constructed in the neo-Baroque style.

Close to the Museum Island is Berlin Cathedral, built 1893–1905 in the style of the Italian Renaissance. The Reichstag and the seat of the governing mayor, called the Red Town Hall due to its colour, and Charlottenburg Castle are further buildings of interest.

Berlin, the pulsating metropolis

At the end of the 20th century, Berlin is viewed as Germany's largest construction site – not least because the government and parliament are to move from Bonn to the capital and large concerns are also building new office blocks here. Berlin draws artists, writers, actors and musicians from all corners of the world more than ever before. The numerous galleries around Kurfürstendamm and in the districts of Kreuzberg and Prenzlauer Berg present many different art movements, from established to modern art, from paintings and sculptures to video installations.

Berlin's most famous shopping boulevard is still the approximately three and a half kilometre long Kurfürstendamm, where the famous Café Kranzler can be found. Close to the Ku'damm on Tauentzien Strasse is Berlin's famous department store, the KaDeWe or Kaufhaus des Westens whose gourmet food floor offers everything the heart could desire.

Berlin

Relié inséparablement: l'histoire de l'Allemagne et de Berlin

Berlin est par sa superficie l'antépénultième état, mais au nombre de ses habitants, elle est placée aux huitième rang parmi les états d'Allemagne et a une histoire très mouvementée derrière soi. La ville a été fondée vers la fin du 12ème siècle. Elle s'est rapidement développée en un centre économique et de plus, des mouvements politiques et intellectuels provenaient de Berlin. Ainsi, Berlin était par exemple le point de départ de la révolution de mars, avec laquelle une constitution libérale devait être imposée. En 1871 Berlin devenait la capitale de l'empire allemand et six ans plus tard, Berlin comptait déjà un million d'habitants. Après l'échec de l'empire allemand lors de la première guerre mondiale en 1918, la république allemande etait proclamée à Berlin. Pendant les «Roaring Twenties», les années 20 turbulentes, Berlin offrait des scènes culturelles des plus vives et des plus variées au monde.

Pendant la deuxième guerre mondiale, le siège du gouvernement des national-socialistes fut presque complètement détruit et après la guerre les 4 pouvoirs vainqueurs, les Etats-Unis, l'URSS, la France et la Grande-Bretagne, ont divisé la ville en quatre secteurs et l'ont mise sous une administration commune. Le conflit entre les trois pouvoirs de l'ouest et l'URSS sur l'état de Berlin conduit à une blocade des secteurs de l'ouest par l'URSS. Seulement par le pont aérien (jusqu'en 1949) l'approvisionnement alimentaire de la population put être assuré. Enfin, en 1949 la division de l'Allemagne en RDA et RFA, ainsi que la scission de Berlin avaient lieues. En 1961 la RDA fit construire le mur de Berlin afin d'éviter un exode de la population vers Berlin-Ouest. En 1989 la population de la RDA forçait l'ouverture des frontières vers la RFA et le 9 novembre 1989 le mur tombait symboliquement. Depuis 1990 Berlin réuni redevint la capitale de l'Allemagne.

Beaucoup à voir, beaucoup à découvrir

Malgré les destructions pendant la deuxième guerre mondiale, beaucoup de curiosités ont été conservées dans la plus grande ville de l'Allemagne. Le symbole de Berlin est la Brandenburger Tor construite entre 1788 et 1791 dans le style néoclassique. Seulement après la chute du mur, il fut de nouveau possible de passer sous le portail. L'église en mémoire de l'empereur Wilhelm (temps de construction: 1891 – 1895), qui a été détruite pendant la deuxième guerre mondiale, était reconstruite, mais la tour occidentale bombardée, s'élève aujourd'hui encore vers le ciel comme monument mémorique.

Déjà en raison des bâtiments sur l'île des musées, Berlin centre vaut une visite. L'ancien musée a été construit dans le style néoclassique par le célèbre architecte Karl Friedrich Schinkel et présente en première ligne des expositions spéciales.

Le nouveau musée a été coordonné à la méthode de construction de l'ancien musée. De plus l'île des musées contient l'ancienne galerie nationale (l'art du 18ième et 19ième siècle) le musée Pergame (collection d'antiquités, autel de Pergame) et le musée Bode (musée égyptien, collection de tableaux), qui a été construit dans le style néobaroque.

Près de l'île des musées se trouve la cathédrale de Berlin qui fut édifiée dans le style de la haute renaissance italienne entre 1893 et 1905. Le Reichstag est le siège des maires gouvernants, qui, à cause de sa couleur, est nommé mairie rouge. Celle-ci et le château Charlottenburg comptent parmi les autres curiosités en construction de Berlin.

Berlin, la métropole animée

Ce n'est pas seulement parce que le gouvernement et le parlement doivent déménager de Bonn à Berlin et que des grands groupements font édifier de nouveaux immeubles de bureaux, que Berlin est éstimée être le plus grand chantier de construction. Berlin attire plus que jamais des artistes, des littérateurs, des acteurs et des musiciens de tout le monde. De nombreuses galeries tout autour du Kurfürstendamm ainsi qu'à Kreuzberg et au Prenzlauer Berg montrent les directions d'art les plus différentes: de l'art établi jusqu'à l'art moderne, de peintures et plastiques jusqu'aux installations de vidéo. Le boulevard le plus renommé de Berlin est encore toujours le Kurfürstendamm d'une longueur de 3,5 kilomètres, sur lequel se trouve aussi le célèbre Café Kranzler. Dans la Tauentzienstrasse se trouve le grand magasin le plus connu de Berlin, le KaDeWe.

Statistiques de référence	
Superficie: 889 km^2	Habitants: 3,5 millions
Métropole: Berlin	Habitants par km^2: 3897
Produit intérieur brut par habitant: 43 380 DM	
Ressources principales: prestations de services: 34,9%, activité industrielle productive: 26,6%, commerce, trafic et transmission des informations: 22,4%, agriculture: 0,6%, autres: 15,7%	
Curiosités: Alexanderplatz, Ancienne galerie nationale, Brandenburger Tor, East Side Gallery, Eglise en mémoire de l'empereur Wilhelm, Grand magasin occidental, Kurfürstendamm, Ile des musées, Nouvelle galerie nationale, Palais Unter den Linden, Reichstag, Mairie rouge, Château de Bellevue, Château de Charlottenburg	
Visiteurs: 3,2 millions, logements: 7,4 millions	

Adresse pour renseignements:
Berlin Tourismus Marketing GmbH
Am Karlsbad 11
10785 Berlin
Tel. 0 30-25 00 25

Das Wahrzeichen Berlins: das Brandenburger Tor mit der Quadriga.

Berlin's landmark, the Brandenburg Gate with the Quadriga.

L'emblème de Berlin, la Porte de Brandebourg avec la Quadriga.

Seite 59/page 59:
Schon von weitem sichtbar ragt der Berliner Fernsehturm in den Abendhimmel.

The Berlin television tower can be seen from far in the evening sky.

Visible de loin, la tour de télévision de Berlin se dresse dans le ciel crépusculaire.

Vorhergehende Doppelseite/previous pages/pages précédentes:
Im Lichtschein des Feuerwerks wird deutlich, daß Schloß Charlottenburg nach symmetrischen Kriterien erbaut wurde.

In the glow of fireworks it is clear that Charlottenburg Palace was designed according to symmetrical criteria.

Dans la lueur du feu d'artifice, on distingue clairement que le château de Charlottenburg fut construit selon des critères de symétrie.

Rechts oben/right above/à droite ci-dessus:
Das Reichstagsgebäude ist nun Sitz des Deutschen Bundestages.

The Reichstag building is the seat of the German Parliament.

Le bâtiment du Reichstag: le siège du «Bundestag» allemand.

Rechts unten/right below/à droite en bas:
Die Kaiser-Wilhelm-Gedächtniskirche mit ihrem zerbombten Turm.

The Emperor Wilhelm Memorial Church with its bombed tower.

L'église de l'Empereur Wilhelm, avec sa tour détruite par les bombes.

Seinen Namen hat das Rote Rathaus nicht wegen der Gesinnung seiner Erbauer – es ist schlicht und ergreifend aus roten Steinen erbaut

The Red Town Hall did not get its name because of the architect's political convictions – it is simply built with red brick.

La Mairie Rouge n'a pas obtenu son nom en raison des tendances politiques de ses bâtisseurs – elle fut tout simplement bâtie en briques rouges.

Sachsen-Anhalt
Saxony-Anhalt
Saxe-Anhalt

Land der Sagen und Mythen

In der Walpurgisnacht versammeln sich auf dem sagenumwobenen Brocken, dem höchsten Berg des Harzes, die Hexen, um gemeinsam mit dem Teufel zu tanzen. Vielleicht sind es diese und ähnliche Mythen, die den 1142 Meter hohen Berg zu einem der beliebtesten Anziehungspunkte Sachsen-Anhalts gemacht haben, vielleicht ist es aber auch nur die Tatsache, daß der Brocken zu DDR-Zeiten nicht bestiegen werden konnte. Am Rand des Oberharzes finden sich zudem so bizarre Felsen wie die Teufelsmauer bei Blankenburg. Berühmt sind auch die Ilsefälle, die über schroffe Felsen hinwegrauschen. In der Nähe von Rübeland im Harz gilt es, zwei Tropfsteinhöhlen zu erforschen. So ist es nicht verwunderlich, daß der Harz der meistbesuchte Landstrich des von der Fläche achtgrößten deutschen Bundeslandes ist.

Doch natürlich gibt es in Sachsen-Anhalt noch viele andere reizvolle Regionen. Im Norden des Landes liegt beispielsweise die flache, fruchtbare Altmark, die recht dünn besiedelt ist. Die Magdeburger Börde, die im Westen in das nördliche Harzvorland übergeht, ist ebenfalls flach und fruchtbar.

Im Süden Sachsen-Anhalts schließlich liegt das Saale-Unstrut-Gebiet, benannt nach den beiden gleichnamigen Hauptflüssen. Das Klima im Unstruttal eignet sich sogar zum Weinanbau, mit der Folge, daß hier alljährlich zur Weinlese eine Reihe von ausgelassenen Weinfesten stattfindet.

Von Anhalt und Sachsen zu Sachsen-Anhalt

Eine einheitliche Geschichte hat das heutige Bundesland Sachsen-Anhalt nicht, denn es wurde aus dem Freistaat Anhalt und der preußischen Provinz Sachsen gebildet. Es ist also kein historisch gewachsenes, sondern ein zusammengefügtes Land. Erstmals wurde es 1945 unter sowjetischer Herrschaft gebildet, doch nur bis 1952 blieb Sachsen-Anhalt als Land bestehen.

Die DDR-Regierung teilte Sachsen-Anhalt wieder auf: Daraufhin entstanden die zwei neuen Bezirke Magdeburg und Halle. Erst im Jahr 1990, im Zusammenhang mit der deutsch-deutschen Wiedervereinigung, schlossen sich die beiden Bezirke erneut zum Bundesland Sachsen-Anhalt zusammen. Hauptstadt wurde das etwa in der Mitte des Landes liegende Magdeburg.

Kunstschätze über Kunstschätze

Auch wenn Sachsen-Anhalt als Bundesland noch sehr jung ist, liegt es doch auf einem äußerst geschichtsträchtigen Boden. Viele Städte wurden bereits im ersten Jahrtausend gegründet. Noch heute zeugen zahlreiche Bauten und Kunstschätze von längst vergangenen Zeiten.

Bestes Beispiel für die Baukunst früherer Jahre ist der Magdeburger Dom, mit dessen Errichtung 1209 begonnen wurde. An dem Sakralbau im Stil französischer Kathedralen wurde bis 1520 gebaut. Trotz der langen Bauzeit bilden alle Teile des Doms eine architektonische Einheit. Berühmt sind vor allem auch die vielen fein gearbeiteten figurativen Plastiken, mit denen der Dom geschmückt ist. Die Magdeburger Altstadt mit ihren barocken Bauten fiel im Zweiten Weltkrieg leider zum Großteil den Bomben zum Opfer, so daß nur noch wenige alte Häuser erhalten blieben. Die barocken Gebäude um den Domplatz wurden wieder restauriert.

Halle an der Saale, die größte Stadt Sachsen-Anhalts, wurde bereits 806 erstmals erwähnt. Im Zweiten Weltkrieg blieb sie weitgehend von der Zerstörung verschont, doch leider wurde nach 1945 nicht viel dafür getan, alte Bauten zu erhalten. Dennoch gibt es in Halles Altstadt noch einiges zu sehen: Mit dem Bau des Roten Turms auf dem Marktplatz beispielsweise wurde bereits im Jahr 1418 begonnen, die Markt- oder Marienkirche wurde 1554 fertiggestellt. Die vier Türme der ungewöhnlichen Kirche stammten ursprünglich von zwei verschiedenen Kirchen, die abgerissen worden waren. Berühmt ist die Burg Giebichenstein auf einem Berg oberhalb der Saale. Während die Oberburg bereits um 961 errichtet und später zerstört wurde, ist die Unterburg aus dem 16. Jahrhundert noch heute erhalten.

Die drittgrößte Stadt des Bundeslandes, Dessau, gibt sich etwas moderner. Zwar finden sich hier auch noch einige alte Bauten, doch bekannt ist Dessau vor allem durch das Bauhaus, die staatliche Kunstschule, die sich 1925 hier ansiedelte. Das Gebäude, das der Leiter der Schule, Walter Gropius, entworfen hatte, zeichnet sich durch seine klaren Linien aus. Sachsen-Anhalt ist außerdem Luther-Land: In Eisleben wurde der Reformator Martin Luther geboren, an der Schloßkirche zu Wittenberg, in der sich sein Grab befindet, schlug er 1517 seine Thesen gegen die Mißstände in der katholischen Kirche an.

Eckdaten

Fläche: 20 446 km²	Einwohner: 2,7 Millionen
Hauptstadt: Magdeburg	Einwohner pro km²: 134

Größte Städte (Einwohner): 1. Halle/Saale (287 400)
2. Magdeburg (263 000)
3. Dessau (92 200)
4. Wittenberg (52 200)

Bruttoinlandsprodukt pro Kopf: 24 526 DM

Haupterwerbszweige: Produzierendes Gewerbe: 36,6%, Dienstleistungen: 22,4%, Handel, Verkehr, Nachrichtenübermittlung: 19,6%, Landwirtschaft: 2,9%, Sonstiges: 18,5%

Sehenswürdigkeiten: Magdeburger Dom, Bauhaus Dessau, Halle, Wernigerode

Landschaften: Oberharz mit Brocken, Harzvorland, Unstruttal

Gäste: 1,9 Millionen, Übernachtungen: 5,3 Millionen

Infoadresse: Landes-Tourismusverband Sachsen-Anhalt
Große Diesdorfer Str. 12, 39108 Magdeburg
Tel. 03 91-7 38 43 00, Fax 03 91-7 38 43 02

Saxony-Anhalt

The land of legends and myths

On Walpurgis Night witches gather to dance with the devil on the Brocken, the highest point in the Harz mountains and steeped in legends.

Perhaps it is this and similar myths that have made the 1142 metre high mountain one of Saxony-Anhalt's favourite centres of attraction or maybe it is just the fact that during the GDR era the Brocken could not be climbed. On the edge of Upper Harz, there are also bizarre rock formations such as the Teufelsmauer (Devil's Wall) near Blankenburg. Also famous are the Ilse Falls which thunder over precipitous cliffs. In the vicinity of Rübeland in the Harz mountains there are two stalactite caverns to be explored. It is not especially surprising to discover that the Harz mountains are the most-visited region in this eighth largest state.

But of course there are many other fascinating regions in Saxony-Anhalt. In the north of the state, for example, there is the flat, fertile Altmark which is very thinly populated. The Magdeburg Börde or Plain which merges in the west into the northern Harz foreland is also flat and fertile. Finally in the south of Saxony-Anhalt we find the Saale-Unstrut Region named after its two main rivers. The climate in Unstruttal is even suitable for wine-growing with the result that every year there are a series of festivals to celebrate the wine harvest.

From Anhalt and Saxony to Saxony-Anhalt

Today's federal state of Saxony-Anhalt does not have a homogenous history since it was formed from the free state of Anhalt and the Prussian province of Saxony. It is, therefore, not a historically developed state but rather more an assembled state. It was first created in 1945 under Soviet rule but Saxony-Anhalt only remained as a state until 1952 when the GDR split it up again. The regions of Magdeburg and Halle were formed.

It was not until 1990 that both regions joined again to become Saxony-Anhalt in the course of German re-unification. Magdeburg, lying roughly in the middle of the state, became the capital of the new state.

Art treasures and still more art treasures

Even if Saxony-Anhalt is still a very young federal state, it lies on an area exceptionally rich in history. Many towns were founded as early as the first millenium. Today there are still a lot of buildings and art treasures that bear witness to days long past.

The best example of architecture from olden days is Magdeburg Cathedral, begun in 1209. Construction work on the ecclesiastical building in the style of French cathedrals carried on until 1520. In spite of the long building time, all parts of the cathedral form an architectural unity. Especially famous are the many finely crafted figurative statues decorating the cathedral. Magdeburg's Old Town with its Baroque buildings largely fell victim to bombing in World War II so that only a few old houses can still be found. The Baroque buildings around the cathedral square were all restored.

Halle on the River Saale, Saxony-Anhalt's largest city, was first officially referred to in 806 AD. During World War II it remained largely untouched by the bombing, but unfortunately after 1945 not a lot was done to maintain the old buildings. However, Halle's Old Town still has a lot to offer: for instance building work on the Red Tower on the market square was begun as early as 1418, the Market Church or St. Mary's Church as it is also known was completed in 1554. The four towers of this unusual church originally came from two different churches that had been torn down.

Giebichenstein Castle, standing on a mountain above the Saale, is also well-known. While the upper castle was built in 961 and later destroyed, the lower castle from the 16th century is still intact today.

The third largest town in Saxony-Anhalt, Dessau, is rather more modern. Although there are still a few old buildings, Dessau is famous above all for the Bauhaus, the national art school that settled here in 1925. The building which the head of the school, Walter Gropius, designed is distinct for its clear lines.

Saxony-Anhalt is also Luther country. The Reformer Martin Luther was born in Eisleben, in 1517 he affixed his theses against the deplorable state of affairs in the Catholic Church to the doors of Wittenberg Castle Church where he is buried.

Key Features	
Area: 20 446 km²	Population: 2.7 million
Capital: Magdeburg	Population per km²: 134
Largest cities (population):	1. Halle/Saale (287 400)
	2. Magdeburg (263 000)
	3. Dessau (92 200)
	4. Wittenberg (52 200)
Gross national product: 24 526 DM	
Main branches of Industry: manufacturing industry: 36.6%, service industry: 22.4%, trade, transport and communication: 19.6%, agriculture: 2.9%, miscellaneous: 18.5%	
Places of interest: Magdeburg Cathedral, Bauhaus Dessau, Halle, Wernigerode	
Regions: Upper Harz with Brocken, Harz foreland, Unstruttal	
Visitors: 1.9 million, overnight stays: 5.3 million	
Information: Landes-Tourismusverband Sachsen-Anhalt Große Diesdorfer Str. 12, 39108 Magdeburg Tel. 03 91-7 38 43 00, Fax 03 91-7 38 43 02	

Saxe-Anhalt

Pays des légendes et des mythes

Pendant la nuit de Walpurgis, les sorcières s'assemblent sur le célèbre Brocken, la plus haute montagne du Harz, pour danser ensemble avec le diable. Ce sont elles peut-être ou mythes semblables qui ont créé la montagne d'une altitude de 1142 mètres et en ont fait l'une des attractions les plus favorisées de la Saxe-Anhalt, mais c'est peut-être aussi le fait que le Brocken n'a pas pu être escaladé pendant le temps du régime de la RDA. De plus, au bord du Oberharz se trouvent des rochers bizarres comme le mûr du diable près de Blankenburg. Les chutes Ilse, qui coulent sur des rochers escarpés sont aussi très renommées. A proximité du Rübeland dans le Harz, on peut explorer deux grottes. Il n'est donc pas étonnant que le Harz est la région la plus visitée de l'état qui est le huitième dans sa grandeur.

Mais bien sûr, la Saxe-Anhalt a encore beaucoup d'autres régions attrayantes. Dans le nord de l'état, il y a par exemple la Altmark qui est plate, fertile et peu peuplée. Dans le sud de la Saxe-Anhalt, se trouve finalement la région Saale-Unstrut, dénommée d'après les deux grands fleuves. Le climat dans la vallée du Unstrut convient même à la viticulture avec la conséquence que chaque année, pendant le temps des vendanges, toute une série de fêtes ont lieues sur la «Sächsische Weinstraße», comprenant une longueur d'environ 60 kilomètres.

De Anhalt et Saxe à la Saxe-Anhalt

L'état contemporain Saxe-Anhalt n'a pas une histoire unitaire, parce qu'il était formé de l'état libre Anhalt et de la province prusse Saxe. Il n'est donc pas un état développé au cours de l'histoire mais un état fusionné. Il fut pour la première fois formé sous le régime soviètique en 1945, mais la Saxe-Anhalt exista comme état seulement jusqu'en 1952. Le régime de la RDA divisa la Saxe-Anhalt de nouveau dans les circonscriptions Magdeburg et Halle. En 1990 seulement, au cours de la réunification allemande, les deux circonscriptions s'associaient de nouveau comme état Saxe-Anhalt et la capitale devenait Magdeburg, située environ au milieu de l'état.

Des fortunes d'art en abondance

Même si la Saxe-Anhalt est encore un état très jeune, elle est tout de même située sur un sol prégnant en histoires. Beaucoup de villes furent déjà fondées dans le premier millénaire. Aujourd'hui encore de nombreux bâtiments et fortunes d'arts témoignent des temps depuis longtemps écoulés.

Le meilleur exemple pour l'art de la construction d'autrefois est la cathédrale de Magdeburg, dont la construction fut commencée en 1209. On a travaillé sur le bâtiment sacré dans le style des cathédrales françaises jusqu'en 1520. Malgré la longue période de construction, toutes les parties de la cathédrale forment une unité architectonique. Elle doit sa renommée en particulier aux nombreux petits plastiques figuratifs, finement travaillés et par lesquels la cathédrale est décorée. L'ancienne ville de Magdeburg fut malheureusement en grande partie victime des bombes pendant la deuxième guerre mondiale, ce qui a comme conséquence que seulement peu d'anciennes maisons sont restées conservées. Les bâtiments dans le style baroque autour de la place de la cathédrale ont été restaurés.

Halle an der Saale, la plus grande ville de la Saxe-Anhalt, était déjà mentionnée pour la première fois en 806. Pendant la deuxième guerre mondiale, la ville resta largement ménagée de destructions, mais malheureusement après 1945, on n'a pas fait grand effort pour conserver les anciens bâtiments. Pourtant, l'ancienne ville de Halle offre encore quelques curiosités à visiter: le bâtiment de la tour rouge sur l'ancien marché fut débuté en 1418, la Markt- ou Marienkirche fut terminée en 1554.

La troisième ville de l'état dans sa grandeur, Dessau, se donne un peu plus moderne. Certes, ici aussi on trouve encore certains anciens bâtiments, mais Dessau est surtout connue par le Bauhaus, l'école nationale des beaux-arts, qui s'établit en 1925. L'édifice que le directeur de l'école Walter Gropius a conçu, se distingue par ses lignes claires.

La Saxe-Anhalt est en outre l'état de Luther. Le réformateur est né à Eisleben. Dans la Schloßkirche de Wittenberg où on trouve aussi sa tombe, il a cloué ses thèses contre les défauts de l'église catholique en 1517.

Statistiques de référence	
Superficie: 20 446 km²	Habitants: 2,7 millions
Métropole: Magdeburg	Habitants par km²: 134
Plus grandes villes (habitants):	1. Halle/Saale (287 400)
	2. Magdeburg (263 000)
	3. Dessau (92 200)
	4. Wittenberg (52 200)
Produit intérieur brut par habitant: 24 526 DM	
Ressources principales: activité industrielle productive: 36,6%, prestations de services: 22,4%, commerce, trafic et transmission des informations: 19,6%, agriculture: 2,9%, autres: 18,5%	
Curiosités: Cathédrale de Magdeburg, Bauhaus à Dessau, Halle, Wernigerode	
Paysages: Oberharz avec le Brocken, Harzvorland, Unstruttal	
Visiteurs: 1,9 millions, logements: 5,3 millions	
Adresse pour renseignements:	
Landes-Tourismusverband Sachsen-Anhalt Große Diesdorfer Str. 12, 39108 Magdeburg Tel. 03 91-7 38 43 00, Fax 03 91-7 38 43 02	

Die Stadt Wernigerode im Harz ist nicht zuletzt wegen ihres wunderschönen Rathauses bekannt geworden.

The town of Wernigerode in the Harz Mountains is well-known because of its wonderful town hall.

La ville de Wernigerode dans le Harz ne doit pas seulement sa réputation à son hôtel de ville magnifique.

Rechts/right/à droite:
Die Türme der Markt- oder Marienkirche in Halle stammen, wie man unschwer erkennt, von zwei verschiedenen Kirchen.

It is not difficult to recognize that the towers of the Market or St. Mary's Church in Halle come from two different churches.

Les tours de l'église du Marché (ou aussi Sainte Marie) proviennent, comme on le reconnaît sans aucune difficulté, de deux églises différentes.

Seite 67/page 67:
Von 1209 bis 1520 dauerte es, bis der Magdeburger Dom fertiggestellt wurde.

It took from 1209 till 1520 until Magdeburg Cathedral was completed.

La cathédrale de Magdeburg fut achevée entre 1209 et 1520.

Folgende Doppelseite/following pages/pages suivantes:
Das 1862–81 erneuerte Schloß Wernigerode thront über der kleinen Stadt im Harz.

Wernigerode Castle, renewed in 1862–81, looks down in majesty on the little town in the Harz Mountains.

Le château de Wernigerode, rénové de 1862 à 1881, domine la petite ville du Harz.

Links/left/à gauche:
Häuser der unterschiedlichsten Baustile stehen in Magdeburgs Breitem Weg nebeneinander.

Houses of the most varied building styles stand side by side in Magdeburg's Breiter Weg.

Dans la Grand'Rue de Magdeburg, des maisons de styles très différents se cotoient.

Rechts/right/à droite:
Die Brockenbahn fährt den Besucher auf den höchsten Gipfel im Harz.

The Brocken railway brings visitors to the highest point in the Harz Mountains.

Le chemin de fer du Brocken transporte le visiteur sur le plus haut sommet du Harz.

Links/left/à gauche:
Der Markt von Quedlinburg mit dem Marktbrunnen

Quedlinburg market square with fountain.

Le marché de Quedlinburg avec sa fontaine.

Rechts/right/à droite:
Vom Brocken, der zu DDR-Zeiten militärisches Sperrgebiet war, hat man einen weiten Blick ins Umland.

From the Brocken, which was a prohibited military zone during the GDR era, one has a panoramic view of the surrounding area.

Depuis le Brocken, zone militaire interdite aux temps de la RDA, on a une vue lointaine dans le pays entourant.

Nordrhein-Westfalen
North Rhine-Westphalia
Rhénanie-du-Nord-Westphalie

Nicht nur ein Industrieland

Wer den Namen Nordrhein-Westfalen hört, denkt zunächst an den größten zusammenhängenden Ballungsraum Deutschlands: das Ruhrgebiet. Doch selbstverständlich hat das bevölkerungsreichste Bundesland wesentlich mehr zu bieten. Schließlich gehören zu Nordrhein-Westfalen das Münsterland, das Lipper Bergland, ein Teil des Wiehengebirges, der Teutoburger Wald sowie das Sauerland, der Niederrhein, ein Abschnitt der Eifel und nicht zuletzt das Bergische Land, das Siegerland und ein kleiner Teil des Westerwaldes. Landschaftlich ist Nordrhein-Westfalen somit viel abwechslungsreicher, als einige dies auf den ersten Blick vermuten.

Zu den beliebten Urlaubszielen und Naherholungsgebieten in Nordrhein-Westfalen zählt das Sauerland, das vom Ruhrgebiet in kurzer Zeit zu erreichen ist. Im Sauerland liegt das Rothaargebirge mit den höchsten Erhebungen des Bundeslandes, dem Kahlen Asten mit 841 und dem Langenberg mit 843 Metern. Keine Frage, daß hier im Winter auch Ski gefahren werden kann! Im Sommer locken vor allem die zahlreichen Stauseen des Sauerlandes die Gäste an.

Das Ruhrgebiet hat nach dem großen Zechensterben und dem Rückgang der Stahlindustrie einen umfassenden Strukturwandel durchgemacht. Seine Wirtschaft ist jetzt von zukunftsweisenden Branchen sowie Dienstleistungen gekennzeichnet. Wer den Ruhrgebietsstädten einen Besuch abstattet, wird feststellen, daß das alte Klischee vom „Kohlenpott" schon lange nicht mehr zutrifft. Im Gegenteil: Die meisten Besucher verwundert, daß es im Ruhrgebiet zahlreiche Grünflächen und Erholungsgebiete wie den Baldeney See in Essen gibt.

Klimatisch besonders begünstigt ist der Niederrhein. Hier ist es vor allem im Winter immer um einige Grad wärmer als im restlichen Nordrhein-Westfalen. Allerdings herrscht am Niederrhein auch eine hohe Luftfeuchtigkeit, durch häufige Nebelbildung bedingt. Die Böden des Niederrheins werden zum großen Teil landwirtschaftlich genutzt, größere Waldflächen sind eher selten. Dafür überwiegen grüne Weiden und von kleineren Wasserläufen durchzogene Grünflächen. Im Naturpark Maas-Schwalm-Nette, wo die Flußläufe nicht begradigt wurden, haben sich noch ursprüngliche Flußwälder und Sumpfwiesen erhalten, wo seltene Tier- und Pflanzenarten wie der fleischfressende Sonnentau zu finden sind.

Spuren aus der Steinzeit

Zwar kann das Land Nordrhein-Westfalen noch nicht auf eine lange Geschichte zurückblicken, doch auf dem Gebiet des Bundeslandes lebten bereits zwischen 300 000 v. Chr. und 40 000 v. Chr. die Vorläufer des heutigen Menschen: die Neandertaler. Dieser Altsteinzeit-Mensch wurde nach dem Neandertal in der Nähe von Düsseldorf benannt, in dem seine Knochen gefunden wurden. Auch die Römer siedelten sich in Nordrhein-Westfalen, genauer am Niederrhein, an, wovon noch heute Ausgrabungen aus der Römerzeit, zum Beispiel in Xanten, das einen Archäologie-Park besitzt, zeugen.

Das eigentliche Bundesland entstand erst viele Jahre später: 1946 schlossen sich die Provinz Westfalen und die Nordrheinprovinz zusammen und bildeten Nordrhein-Westfalen. Das Land Lippe kam 1947 noch hinzu.

Vom Kölner Dom zum Bonner Münster

Die größte Stadt Nordrhein-Westfalens ist zugleich wahrscheinlich auch die bekannteste – der Kölner Dom, der Karneval in Köln sowie „Kölnisch Wasser" oder „Eau de Cologne" sind weltweit ein Begriff. Der Dom, mit dessen Bau 1248 begonnen wurde, ist ein Meisterwerk der Gotik. Mit seinen unzähligen feinen Steinfiguren, dem goldenen Schrein, der die Gebeine der Heiligen Drei Könige enthalten soll und seiner 24 Tonnen schweren Glocke stellt der Dom einen unermeßlichen Kunstschatz dar. Doch auch was die Museen betrifft, braucht Köln sich hinter keiner europäischen Großstadt zu verstecken. Im Museum Ludwig sind Werke aus dem 20. Jahrhundert zu sehen (unter anderem von Warhol und Beuys), das Wallraf-Richartz-Museum zeigt vor allem Gemälde alter Meister wie Dürer, Rembrandt und van Gogh.

Auch in der Landeshauptstadt Düsseldorf, deren mondäne Einkaufsmeile „Königsallee" sehr bekannt ist, sind Museen von Weltrang zu finden, darunter die Kunstsammlung Nordrhein-Westfalen mit Werken von Paul Klee und Pablo Picasso.

Die ehemalige Bundeshauptstadt Bonn, die 1990 von Berlin abgelöst wurde, kann neben dem Regierungsviertel mit einem schönen barocken Rathaus (1737/38), einem spätromanischen Münster sowie der kurfürstlichen Residenz (heute Universität) aufwarten.

Eckdaten

Fläche: 34 078 km²	Einwohner: 17,9 Millionen
Hauptstadt: Düsseldorf	Einwohner pro km²: 525
Größte Städte (Einwohner):	1. Köln (964 200)
	2. Essen (616 400)
	3. Dortmund (600 000)
	4. Düsseldorf (571 900)

Bruttoinlandsprodukt pro Kopf: 44 041 DM

Haupterwerbszweige: Produzierendes Gewerbe: 41,9%, Dienstleistungen: 24,8%, Handel, Verkehr, Nachrichten-übermittlung: 23,7%, Landwirtschaft: 0,7%, Sonstiges: 8,9%

Sehenswürdigkeiten: Kölner Dom, Prinzipalmarkt/Münster, Archäologie-Park/Xanten

Landschaften: Sauerland mit Rothaargebirge, Teutoburger Wald, Niederrhein

Gäste: 12,7 Millionen, Übernachtungen: 36,0 Millionen

Infoadresse: Landesverkehrsverband Rheinland, Rheinallee 69, 53173 Bonn, Tel. 02 28-36 29 22, Fax 36 39 29
Landesverkehrsverband Westfalen, Friedensplatz 3, 44135 Dortmund, Tel. 02 31-52 75 06, Fax 52 45 08

North Rhine-Westphalia

Not just an industrial region

Anyone hearing the name North Rhine-Westphalia immediately thinks of Germany's largest connected congested area: the Ruhr Valley. But it goes without saying that the most highly populated state has a lot more to offer.

After all North Rhine-Westphalia contains the Münsterland, the Lippe Bergland, a part of the Wiehegebirge, Teutoburger Forest as well as Sauerland, the Lower Rhine, a section of the Eifel and last but not least the Bergische Land, Siegerland and parts of Westerwald. From a landscape point of view, North Rhine-Westphalia is much more diversified than might appear at first glance.

One of the favourite holiday destinations and recreational areas in North Rhine-Westphalia is Sauerland which can be reached from the Ruhr Valley in a short time. In Sauerland, the Rothaargebirge have the highest elevations in this state, the Kahle Asten at 841 metres and Langenberg at 843 metres. Clearly this is a skiing area in winter. In summer, visitors are attracted by the many water reservoirs.

After many of the mines were closed down and the steel industry suffered a decline, the Ruhr Valley went through an extensive structural change. Its economy is now characterised by future-orientated branches and service industries. Visitors to the cities of the Ruhr Valley will notice that the old stereotype of the "Ruhr coal basin" has not applied for a long time. On the contrary – most visitors to the region are surprised to find numerous grass-covered open spaces and recreational areas such as Lake Baldeney in Essen.

Key Features	
Area: 34 078 km²	Population: 17.9 million
Capital: Düsseldorf	Population per km²: 525
Largest cities (population):	1. Cologne (964 200)
	2. Essen (616 400)
	3. Dortmund (600 000)
	4. Düsseldorf (571 900)
Gross national product: 44 041 DM	
Main branches of Industry: manufacturing industry: 41.9%, service industry: 24.8%, trade, transport and communication: 23.7%, agriculture: 0.7%, miscellaneous: 8.9%	
Places of interest: Cologne Cathedral, Prinzipalmarkt/Münster, Archaeological Park/Xanten	
Regions: Sauerland with Rothaargebirge, Teutoburger Forest, Lower Rhine	
Visitors: 12.7 million, overnight stays: 36.0 million	
Information: Landesverkehrsverband Rheinland, Rheinallee 69, 53173 Bonn, Tel. 02 28-36 29 21, Fax 36 39 29 Landesverkehrsverband Westfalen, Friedensplatz 3, 44135 Dortmund, Tel. 02 31-52 75 06, Fax 52 45 08	

The Lower Rhine has an especially favourable climate. Here, in winter, it is always a few degrees warmer than in the rest of North Rhine-Westphalia. However, the Lower Rhine also boasts a higher level of humidity, caused by frequent mist formation. Most of the land in the Lower Rhine area is used for agriculture, larger wooded areas are seldom to be found. Instead there is a preponderance of green meadows and grass-covered spaces, crisscrossed with small streams. In the Mass-Schwalm-Nette nature park, where the course of the rivers have not been regulated, there are still original intact woods and swampy meadows where rare flora and fauna can be found such as the carnivorous drosera.

Traces from the Stone Age

Although the state of North Rhine-Westphalia cannot look back on a long history, predecessors of today's humans already lived in the region between 300 000 and 40 000 BC – the Neandertal man. This Palaeolithic man was named after the Neandertal in the vicinity of Düsseldorf where his bones were found. The Romans also settled in North Rhine-Westphalia, on the Lower Rhine to be exact, a fact that can still be witnessed today by the excavations from the Roman Period, for example in Xanten.

The actual state was only created many years later. In 1946 the province of Westphalia and the North Rhine province federated and formed North Rhine-Westphalia. The Lippe state joined them in 1947.

From Cologne Cathedral to the Bonn minster

North Rhine-Westphalia's largest city is probably also its best-known – Cologne Cathedral, Carnival in Cologne or Eau de Cologne are known throughout the world. The cathedral, which was begun in 1248, is a masterpiece of Gothic architecture. With its innumerable fine stone figures, its golden shrine which is said to hold the mortal remains of the Three Wise Men, and its 24 tonne bell, Cologne Cathedral is an immeasurable art treasure. But as far as museums are concerned, Cologne does not have to be ashamed either. In Museum Ludwig, art from the 20th century can be seen by Warhol and Beuys among others, the Wallraf-Richartz Museum exhibits mainly Old Masters like Dürer, Rembrandt and Van Gogh.

Museums of world standing can also be found in the capital of the state, Düsseldorf, including the North Rhine-Westphalian Collection with work from Paul Klee and Picasso. Düsseldorf's fashionable shopping boulevard, the Königsallee, is also well known.

The former German capital, Bonn (replaced by Berlin in 1990) can offer beside the government sector with its beautiful Baroque town hall (1737/38) a late Romanic minster and the Electoral Residence (today a university).

Rhénanie-du-Nord-Westphalie

Pas seulement un état industriel

Celui qui entend le nom Rhénanie-du Nord-Westphalie, pense tout d'abord à la plus grande agglomération continue de l'Allemagne: la Ruhr. Mais évidemment, l'état avec la plus grande densité a beaucoup plus à offrir. Après tout, le Münsterland, le pays de montagnes de Lippe, une partie du Wiehengebirge, le Teutoburger Wald ainsi que le Sauerland , la région du Bas-Rhin, une partie des Ardennes et bien sûr le Bergische Land, le Siegerland et une partie du Westerwald font partie de la Rhénanie-du-Nord-Westphalie. Elle est donc beaucoup plus variée que certain le pense à première vue.

Le Sauerland, qui peut être atteint sous peu de la Ruhr, compte parmi les lieux de vacances et régions de récréation les plus favorisés en Rhénanie-du-Nord-Westphalie. Au Sauerland se trouve le Rothaargebirge avec les plus hautes élevations de l'état, c-à-d. le Kahle Asten de 841 mètres d'altitude et le Langenberg de 843 mètres. Il n'y a donc pas de doute qu'en hiver on peut y pratiquer le ski. En été, ce sont surtout les nombreux lacs artificiels qui attirent les visiteurs.

La Ruhr a subi un changement structurel intense après l'arrêt des mines de charbon et la diminution de l'industrie de l'acier. Son économie est maintenant marquée par des branches et services futuristes. Celui qui visite les villes de la Ruhr, constatera que l'ancien cliché du «Kohlenpott» n'est plus du tout pareil et ceci déjà depuis longtemps. Au contraire, la plupart des visiteurs sera étonnée que la Ruhr a de nombreux espaces verts et des régions récréatives comme le lac Baldeney à Essen.

La région du Bas-Rhin est particulièrement avantagée par son climat. En hiver, il est toujours quelques degrés supérieur à celui d'autres régions de la Rhénanie-du-Nord-Westphalie. Cependant, dans la région du Bas-Rhin, l'humidité atmosphérique est aussi très dense ce qui résulte des formations des brouillards fréquents. Les sols sont exploités en grande partie par l'agriculture, des grandes surfaces boisées sont plutôt rares. En échange dominent des pâturages et espaces verts, parcourus par des petits cours d'eau. Dans le parc naturel Maas-Schwalm-Nette, où les cours d'eau n'ont pas été rectifiés, des forêts de rivières et des prés marécageux se sont conservés, dans lesquels on peut y admirer des animaux et des plantes rares comme la drosère carnivore.

Des traces remontant jusqu'à l'âge de la pierre

Certes, l'état Rhénanie-du-Nord-Westphalie n'a pas une longue histoire, mais sur le territoire de l'état vivaient déjà en 300 000 av. J.-C. et 40 000 av. J.-C. les précurseurs des êtres humains contemporains, les hommes de Neandertal. Cet homme de l'ancien âge de la pierre a été dénommé d'après le Neandertal situé près de Dusseldorf où l'on a trouvé ses os. Les Romains aussi peuplaient la Rhénanie-du-Nord-Westphalie, plus exactement la région du Bas-Rhin, dont témoignent encore aujourd'hui les fouilles de l'époque romane comme celles de Xanten avec le parc d'archéologie. L'état propre s'est formé beaucoup plus tard. En 1946 le provinces Westphalie et Rhénanie-du-Nord s'associaient et formaient la Rhénanie-du-Nord-Westphalie. L'état Lippe fut annexé en 1947.

De la cathédrale de Cologne à la cathédrale de Bonn

La plus grande ville de la Rhénanie-du-Nord-Westphalie est en même temps probablement la plus connue, la cathédrale de Cologne, le carnaval de Cologne, ainsi que «Kölnisch Wasser» ou «Eau de Cologne» sont réputés dans le monde entier. La cathédrale est un chef-d'œuvre de l'art gothique. La cathédrale représente un trésor d'œuvres incommensurable par ses innombrables figures en pierre, le cercueil en or duquel on dit qu'il contient les dépouilles des Trois Rois mâges et sa cloche pesant 24 tonnes. Mais aussi par ses musées, Cologne ne doit pas se cacher derrière d'autres métropoles européennes.

La métropole Dusseldorf avec son boulevard d'achats bien connu sous «Königsallee» offre des musées de premier rang comme la collection d'art de Rhénanie-du-Nord-Westphalie avec des œuvres de Paul Klee et de Picasso.

Mis à part le quartier gouvernemental, l'ancienne capitale de l'Allemagne Bonn, remplacée par Berlin en 1990 peut servir avec un très bel hôtel de ville dans le style baroque (1737/38), une cathédrale de la fin de l'époque romane ainsi qu' une résidence de prince-électorat (aujourd'hui université).

Statistiques de référence	
Superficie: 34 078 km²	Habitants: 17,9 millions
Métropole: Dusseldorf	Habitants par km²: 525
Plus grandes villes (habitants):	1. Cologue (964 200)
	2. Essen (616 400)
	3. Dortmund (600 000)
	4. Dusseldorf (571 900)
Produit intérieur brut par habitant: 44 041 DM	
Ressources principales: activité industrielle productive: 41,9%, prestations de services: 24,8%, commerce, trafic et transmission des informations: 23,7%, agriculture: 0,7%, autres: 8,9%	
Curiosités: Cathédrale de Cologne, Marché principal/Münster, Parc d'archéologie/Xanten	
Paysages: Sauerland avec Rothaargebirge, Teutoburger Wald, région du Bas-Rhin	
Visiteurs: 12,7 millions, logements: 36,0 millions	
Adresse pour renseignements:	
Landesverkehrsverband Rheinland, Rheinallee 69, 53173 Bonn, Tel. 02 28-36 29 21, Fax 36 39 29 Landesverkehrsverband Westfalen, Friedensplatz 3, 44135 Dortmund, Tel. 02 31-52 75 06, Fax 52 45 08	

Im kurfürstlichen Schloß der ehemaligen deutschen Hauptstadt Bonn ist heute ein Teil der Universität untergebracht.

In the former German capital Bonn, part of the university is housed in the Elector's Palace.

Le château électoral de l'ancienne capitale allemande, Bonn, abrite aujourd'hui une partie de l'université.

Rechts oben/right above/à droite ci-dessus:
Die Zwillingstürme des Kölner Doms mit dem Reiterstandbild an der Hohenzollernbrücke.

The twin towers of Cologne Cathedral with equestrian statue on the Hohenzollern Bridge.

Les tours jumelles de la cathédrale de Cologne avec la statue du cavalier près du pont des Hohenzollern.

Seite 77/page 77:
Im nordrhein-westfälischen Lünen steht das sogenannte Colani-Ufo, das von dem bekannten Designer Colani entworfen wurde.

In Lünen in North Rhine-Westphalia one can find the so-called Colani-Ufo, designed by the famous designer Colani.

«L'ovni de Colani», créé par le designer réputé Colani, se trouve à Lünen, en Rhénanie-du-Nord-Westphalie.

Das Kölner Museum Ludwig beherbergt eine der schönsten Sammlungen zeitgenössischer Kunst in Deutschland.

Cologne's Museum Ludwig is home to Germany's best collection of contemporary art.

Le musée Ludwig de Cologne abrite une des plus belles collections d'art contemporain en Allemagne.

Links/left/à gauche:
Im Maximilianpark in Hamm überragt ein gläserner Elefant die
nebenstehenden Bäume.

A glass elephant towers above the
surrounding trees in Maximilian
Park in Hamm.

Dans le parc de Maximilien à
Hamm, un éléphant en verre
dépasse les arbres voisins.

Rechts/right/à droite:
Der nordrhein-westfälische
Landtag in Düsseldorf.

The North Rhine-Westphalian Diet
in Düsseldorf.

Le «Landtag» de la Rhénanie-du-
Nord-Westphalie à Dusseldorf.

Links/left/à gauche:
Die stillgelegte Dortmunder
Zeche Zollern II mit dem im
Jugendstil gestalteten Haupt-
eingang beherbergt heute ein
Industriemuseum.

The closed-down colliery Zollern
II in Dortmund with its Art
Nouveau main entrance today
houses an industrial museum.

Dans l'ancienne mine «Zollern II»
à Dortmund, avec son entrée
principale conçue en modern
style, se trouve aujourd'hui un
musée de l'industrie.

Links/left/à gauche:
Zwischen 1898 und 1903 wurde
die Wuppertaler Schwebebahn
erbaut, um die Orte Elberfeld und
Barmen zu verbinden.

Wuppertal's suspension railway
was built between 1898 and 1903
to connect the districts of
Elberfeld and Barmen.

Entre 1898 et 1903 fut construit le
train suspendu de Wuppertal,
pour créer une liaíson entre les
villes d'Elberfeld et de Barmen.

Rechts/right/à droite:
Den Rhein-Herne-Kanal bei
Gelsenkirchen quert diese
moderne Doppelbogenbrücke.

This modern double arched bridge
spans the Rhine-Herne-Canal near
Gelsenkirchen.

Ce pont moderne à double-arc tra-
verse le canal du Rhin à Herne,
près de Gelsenkirchen.

Links/left/à gauche:
Viel Glas und viel Beton:
das Bielefelder Rathaus.

Lots of glass and concrete:
Bielefeld's town hall.

Beaucoup de verre et de béton:
la mairie de Bielefeld.

Rechts/right/à droite:
Hunderttausende kommen jedes
Jahr zum Karneval nach Düssel-
dorf.

Hundreds of thousands come each
year to the Carnival in Düsseldorf.

Chaque année, des centaines de
milliers de personnes viennent au
carnaval de Dusseldorf.

Folgende Doppelseite/following
pages/pages suivantes:
Für die Öffentlichkeit zugänglich
ist der Park des Schlosses
Nordkirchen.

The park of Nordkirchen Castle is
open to the public.

Le parc du château de
Nordkirchen est ouvert au public.

Rheinland-Pfalz
Rhineland-Palatinate
Rheinland-Pfalz

Wein und Wälder

Rheinland-Pfalz lebt im wesentlichen durch seine Flüsse: Während vor allem das Tal des Rheins, aber auch das der Mosel dicht besiedelt sind und sich am Rhein die größten Städte des Bundeslandes befinden, haben sich in der Eifel, dem Hunsrück und dem Taunus, dem Pfälzer Wald und dem Westerwald nur wenige Menschen niedergelassen. Denn schließlich sind die Flußtäler – hier befinden sich die größten Weinanbaugebiete Deutschlands – wesentlich fruchtbarer als beispielsweise die Eifel mit ihren kargen Böden. Zugleich sind die Täler von Rhein und Mosel beliebte Ferienziele.

Wer sowohl Ruhe als auch die Natur sucht, ist natürlich in der Eifel, im Hunsrück oder im Pfälzer Wald genau am richtigen Ort. In der Eifel ist es vor allem die von Vulkanen geprägte Landschaft, die ihren ganz besonderen Reiz hat. Charakteristisch sind zum Beispiel die Maare, wassergefüllte Schlote erloschener Vulkane.

Bewaldete Höhen finden sich am ehesten im Hunsrück sowie im Pfälzer Wald. Der Naturpark Pfälzer Wald zählt sogar zu den dichtbewaldetsten Mittelgebirgen in ganz Deutschland. Zahlreiche Wanderwege erschließen dieses landschaftlich reizvolle Gebiet.

Region mit langer Geschichte

Schon seit dem vierten Jahrtausend v. Chr. war der Raum des heutigen Rheinhessen besiedelt. Im ersten Jahrhundert v. Chr. eroberten die Römer große Teile des Landes zwischen Rhein und Saar, wovon bis heute römische Bauten zeugen, darunter die Porta Nigra und die Kaiserthermen in Trier. Bereits zu Anfang des fünften Jahrhunderts n. Chr. verloren die Römer große Gebiete dieser Region, gegen Ende des Jahrhunderts fiel das Territorium an das Fränkische Reich. Über die folgenden Jahrhunderte wechselte dies Gebiet mehrfach die Besitzer, bis im 19. Jahrhundert die Pfalz an Bayern und das heutige Rheinhessen an Hessen fiel. Weitere Teile des heutigen Bundeslands wurden Preußen zugesprochen.

Nach dem Zweiten Weltkrieg wurde aus der Pfalz, Rheinhessen und den ehemals preußischen Regierungsbezirken Koblenz und Trier sowie vier weiteren Kreisen das Bundesland Rheinland-Pfalz gebildet.

Auf den Spuren der Römer

Die Römer hinterließen überall in Rheinland-Pfalz ihre Spuren – auch die Gründung von Mainz, der Hauptstadt des Landes, geht auf sie zurück. Bereits 39 v. Chr. ließ die Kaiserin Agrippa auf einer Anhöhe ein befestigtes Lager für die römischen Soldaten errichten, das Mogontiacum genannt wurde. 297 n. Chr. wurde die befestigte Stadt Mogontiacum gegründet. Von der Anwesenheit der Römer zeugen noch heute die Reste eines ehemaligen Aquädukts.

Wesentlich bekannter ist jedoch der Mainzer Dom, der 1036 eingeweiht wurde. Da er kurz darauf bei einem Brand zerstört wurde, sind nur wenige Gebäudeteile aus dieser Zeit erhalten geblieben. Bis 1137 wurde der Dom im romanischen Stil erneut aufgebaut. Im 13. und 14. Jahrhundert kamen noch gotische Stilelemente hinzu. Auch die Stephanskirche aus der Zeit der Gotik ist unter anderem wegen der von dem Künstler Marc Chagall gestalteten Fenster sehenswert. Die Mainzer Altstadt wurde – wie soviele andere Städte auch – im Zweiten Weltkrieg zerbombt, doch eine Reihe alter Gebäude sind erhalten geblieben oder wurden wiederaufgebaut, zum Beispiel einige der ehemaligen Adelspaläste, aber auch so manches Fachwerkhaus.

Koblenz, die Stadt, wo die Mosel in den Rhein mündet, wurde ebenfalls von den Römern gegründet. Die beiden Flüsse sind es, die Koblenz ein ganz besonderes Flair verleihen – die Stadt scheint umgeben vom Wasser zu sein. Aber auch mittelalterliche Bauten, wie die ehemalige Kurfürstliche Burg mit ihren verspielten Türmen und die Liebfrauenkirche mit ihrem Marmoraltar tragen ihren Teil zur Schönheit der Stadt bei. Die über der Stadt thronende Festung Ehrenbreitstein, mit deren Bau im 10. Jahrhundert begonnen wurde, zählt praktisch zu den Wahrzeichen der Stadt, genau wie die Landzunge „Deutsches Eck" mit dem bei seiner Aufstellung 1993 umstrittenen Reiterstandbild von Kaiser Wilhelm I.

In Kaiserslautern begegnet einem auf Schritt und Tritt Kaiser Barbarossa, der hier im 12. Jahrhundert eine Pfalz, also einen kaiserlichen Aufenthaltsort für die Reise, gründen ließ. Reste dieser Pfalz sind noch heute erhalten. Auch der Kaiserbrunnen zeigt ein Abbild von Kaiser Rotbart. Einen Besuch wert ist die Pfalzgalerie, in der unter anderem Werke von Spitzweg und Picasso präsentiert werden.

Eckdaten

Fläche: 19 853 km²	Einwohner: 4,0 Millionen
Hauptstadt: Mainz	Einwohner pro km²: 200
Größte Städte (Einwohner):	1. Mainz (184 500)
	2. Ludwigshafen (168 000)
	3. Koblenz (109 300)
	4. Kaiserslautern (102 000)

Bruttoinlandsprodukt pro Kopf: 37 872 DM

Haupterwerbszweige: Produzierendes Gewerbe: 42,4%, Dienstleistungen: 24,6%, Handel, Verkehr, Nachrichten-übermittlung: 21,2%, Landwirtschaft: 1,1%, Sonstiges: 10,7%

Sehenswürdigkeiten: Mainzer Dom, Dom/Speyer, Porta Nigra/Trier, Wormser Dom

Landschaften: Pfälzer Wald, Eifel, Weinanbaugebiete an Rhein und Mosel

Gäste: 5,4 Millionen, Übernachtungen: 17,3 Millionen

Infoadresse: Fremdenverkehrs- und Heilbäderverband Rheinland-Pfalz, Löhrstr. 103-105, 56068 Koblenz Tel. 02 61-91 52 00

Rhineland-Palatinate

Wine and Woods

The Rhineland-Palatinate lives principally by its rivers. While the Rhine Valley and also the Mosel are especially densely populated and the largest cities in this state are to be found on the Rhine, only a few people have settled in the Eifel, the Hunsrück and the Taunus, in the Palatinate Forest and in Westerwald. This is due to the fact that the river valleys – here can be found Germany's largest vineyards – are much more fertile than, for instance, the Eifel with its barren land. At the same time, the Rhine and Mosel valleys are favourite holiday destinations.

Anyone looking for tranquility and nature is, of course, in the Eifel, in Hunsrück or in the Palatinate Forest exactly in the right place. The Eifel's special charm comes from its landscape which has been moulded by volcanoes. For example, the maars are very characteristic, they are extinct volcano conduits filled with water. Wooded hills can be found more in Hunsrück and in the Palatinate Forest. The Palatinate Forest nature park is even one of the most thickly wooded low mountain ranges in Germany. Numerous hiking paths open up this wonderfully landscaped region.

A region with a long history

Today's Rhinehesse has already been populated since the 4th millennium BC. In the first century BC the Romans conquered large parts of the country between the Rhine and the Saar, something that can still be witnessed today in the Roman

Key Features

Key Features	
Area: 19 853 km²	Population: 4.0 million
Capital: Mainz	Population per km²: 200
Largest cities (population):	1. Mainz (184 500)
	2. Ludwigshafen (168 000)
	3. Koblenz (109 300)
	4. Kaiserslautern (102 000)

Gross national product: 37 872 DM

Main branches of Industry: manufacturing industry: 42.4 %, service industry: 24.6%, trade, transport and communication: 21.2%, agriculture: 1.1%, miscellaneous: 10.7%

Places of interest: Mainz Cathedral, Cathedral/Speyer, Porta Nigra/Trier, Worms Cathedral

Regions: Palatinate Forest, Eifel, wine-growing regions on the Rhine and Mosel

Visitors: 5.4 million, overnight stays: 17.3 million

Information: Fremdenverkehrs- und Heilbäderverband Rheinland-Pfalz
Löhrstr. 103-105, 56068 Koblenz
Tel. 02 61-91 52 00

buildings, including the Porta Nigra and the Caesar thermal springs in Trier. At the beginning of the fifth century AD, the Romans lost large areas of this region, towards the end of the century the territory fell to the Franconian Empire. During the next centuries the region changed hands several times until the 19th century when the Palatinate fell to Bavaria and today's Rhinehesse to Hesse. Other parts of what is today the Rhineland-Palatinate were given to Prussia. After World War II, the Palatinate, Rhinehesse and the former Prussian administrative districts of Koblenz and Trier along with four further administrative districts were joined together to form the Rhineland-Palatinate.

On the trail of the Roman

The Romans left their traces throughout the whole of the Rhineland-Palatinate – even the foundation of Mainz, the capital of this state, can be traced to them. As early as 39 BC, the Empress Agrippa had a fortified camp for Roman soldiers built on an elevated piece of land, called Mogontiacum. 297 AD the fortified town of Mogontiacum was founded. The Roman presence can still be seen today in the ruins of a former aqueduct.

However, Mainz Cathedral, consecrated in 1036, is much better known. Since it was destroyed a short time later, there are only a few parts of the original building still remaining. The cathedral was rebuilt in the Romanesque style and completed in 1137. In the 13th and 14th centuries, Gothic elements were added. St. Stephen's Church from the Gothic period is also worth seeing for its windows designed by Marc Chagall among other things. Mainz' Old Town – like many others – was bomb-wrecked in World War II, however, several old buildings remained undamaged or were rebuilt, for example some of the former noble palaces and also many half-timbered houses.

Koblenz, the town where the River Mosel flows into the Rhine, was also founded by the Romans. The two rivers give Koblenz its very special flair – the town seems to be surrounded by water. But medieval buildings like the Elector's Castle with its ornate towers and St. Mary's Church with its marble altar also contribute to the town's beauty. The Ehrenbreitstein citadel, which looks down on the town, was begun in the 10th century and practically counts as the town landmark just like the headland "Deutsches Eck" and the equestrian statue of Emperor Wilhelm I which caused controversy when erected in 1933.

In Kaiserslautern one constantly encounters Emperor Frederick I (Barbarossa) who had a Palatinate founded here, an imperial residence for when the Emperor was travelling. Ruins of this residence can still be seen today. The Imperial Fountain also has a portrait of Emperor Red Beard as he was known. The Palatinate Gallery is also worth visiting, here works by Spitzweg and Picasso among others are exhibited.

Rheinland-Pfalz

Vin et forêts

La Rhénanie-Palatinat vit en particulier de ses fleuves. Tandis que surtout la vallée du Rhin mais aussi celle de la Moselle sont fortement peuplées et que les plus grandes villes de l'état se trouvent au Bord du Rhin, peu de gens se sont installés dans les Ardennes, le Hunsrück, le Taunus, la forêt du Palatinat et le Westerwald. Finalement, les vallées des fleuves où se trouvent les plus grands vignobles de l'Allemagne, sont beaucoup plus fertiles que par exemple les Ardennes avec ses terres très maigres. En même temps, les vallées de Rhin et de la Moselle sont des lieux de vacances très appréciés.

Celui qui recherche aussi bien le calme que la nature, a bien raison de se rendre dans les Ardennes, le Hunsrück ou la forêt du Palatinat. Dans les Ardennes, c'est surtout le paysage marqué par les volcans qui a un charme spécial. Les cratères éteints, remplis d'eau, sont des exemples caractéristiques. On trouve des hauteurs boisées dans le Taunus ou la forêt du Palatinat. Le parc naturel, forêt du Palatinat, compte même parmi les chaînes de montagnes à hauteur moyenne les plus denses en bois d'Allemagne.

Une région avec une longue histoire

Depuis le quatrième millénaire av. J.-C., le territoire du Rheinhessen d'aujourd'hui était déjà peuplé. Au premier siècle av. J.-C. les Romains conquéraient des grandes parties du pays entre Rhin et Sarre, dont en rappellent aujourd'hui encore des bâtiments romains, parmi lesquels on compte la Porta Nigra et les Kaiserthermen à Trèves. Déjà au début du 5ème siècle apr. J.-C. les Romains ont perdu de larges territoires de cette région et vers la fin du siècle, le territoire tombait à l'empire franc. Pendant les siècles suivants le territoire changea plusieurs fois ses posseseurs, jusqu'à ce qu'au 19ème siècle le Palatinat tombait à la Bavière et le Rheinhessen contemporain tombait à Hesse. Les autres parties de l'état contemporain furent attribuées à la Prusse. Après la deuxième guerre mondiale, le Palatinat, Rheinhessen, et les départements prusses, Coblence et Trèves ainsi que quatre autres régions ont formé l'état Rhénanie-Palatinat.

Sur les traces des Romains

Partout en Rhénanie-Palatinat, les Romains ont laissé leurs traces, même la fondation de la ville de Mayence, la capitale de l'état, retrouve son origine dans cette époque. Déjà en 39 av. J.-C., l'impératrice Agrippa a fait construire sur une colline un camp fortifié pour les soldats romains, qui était dénommé Mogontiacum. En 297 apr. J.-C. la ville fortifiée Mogontiacum a été fondée. Aujourd'hui encore, les ruines d'un ancien aqueduc témoignent de la présence des Romains.

Pourtant, la cathédrale de Mayence, inaugurée en 1036, est beaucoup plus connue. Comme elle a été détruite par un incendie un peu plus tard, seule une petite partie du bâtiment de ce temps a été conservée. Jusqu'en 1137, la cathédrale a été reconstruite dans le style roman. Au 13ème et 14ème siècle, des éléments du style gothique ont encore été ajoutés. L'église dédiée à St. Stéphane de l'époque gothique vaut la peine d'être visitée déjà à cause de ses vitraux réalisés par Marc Chagall. La vieille ville de Mayence, comme tant d'autres villes aussi, a été bombardée pendant la deuxième guerre mondiale, mais toute une série d'anciens bâtiments a été conservée ou bien a été reconstruite, comme par exemple quelques anciens palais de noblesse, mais aussi certaines maisons à colombage.

Coblence, la ville où la Moselle se jette dans le Rhin, a aussi été fondée par les Romains. Ce sont les deux fleuves qui donnent à Coblence ce flair spécial, parce que la ville semble être entourée par l'eau. Mais aussi les bâtiments médiévaux, comme l'ancien château fort du prince-électeur avec ses tours frivoles et la Liebfrauenkirche avec son autel en marbre contribuent en partie à la beauté de la ville. La fortresse Ehrenbreitstein, qui thrône sur la ville et dont la construction a été initiée au 10ème siècle, compte parmi les symboles de la ville, comme la langue de terre «Deutsches Eck» avec sa statue de cavalier de l'empereur Wilhelm Ier, qui a été installée en 1993, ce qui était très controversé.

A Kaiserslautern, on rencontre à chaque instant l'empereur Barberousse, qui a fait construire au 12ème siècle un palatinat, c.-à-d. une résidence d'empereur pour le voyage. Des ruines de ce palatinat sont encore conservées aujourd'hui.

Statistiques de référence	
Superficie: 19 853 km²	Habitants: 4,0 millions
Métropole: Mainz	Habitants par km²: 200
Plus grandes villes (habitants):	1. Mainz (183 700)
	2. Ludwigshafen (167 400)
	3. Coblenz (109 200)
	4. Kaiserslautern (102 000)
Produit intérieur brut par habitant: 37 872 DM	
Ressources principales: activité industrielle productive: 42,4%, prestations de services: 24,6%, commerce, trafic et transmission des informations: 21,2%, agriculture: 1,1%, autres: 10,7%	
Curiosités: Cathédrale de Mayence, Cathédrale de Spire, Porta Nigra/Trèves, Cathédrale de Worms	
Paysages: Forêt du Palatinat, Ardennes, Vignobles près du Rhin et de la Moselle	
Visiteurs: 5,4 millions, logements: 17,3 millions	
Adresse pour renseignements: Fremdenverkehrs- und Heilbäderverband Rheinland-Pfalz Löhrstr. 103-105, 56068 Koblenz Tel. 02 61-91 52 00	

Dort, wo die Mosel bei Koblenz in den Rhein mündet, ist die Landzunge Deutsches Eck zu finden.

Where the Mosel flows into the Rhine at Koblenz, that is where the Deutsches Eck headland is to be found.

Là où la Moselle se jette dans le Rhin, près de Coblence, se trouve la pointe du Deutsches Eck.

Rechts oben/right above/à droite ci-dessus:
Der berühmteste aller Felsen im Rhein, die Loreley.

The most famous rock in the Rhine, the Loreley.

Le plus célèbre rocher dans le Rhin, la Loreley.

Seite 89/page 89:
Der Mainzer Dom wurde bereits 1036 seiner Bestimmung übergeben.

Mainz Cathedral was inaugurated as early as 1036.

La cathédrale de Mayence fut inaugurée en 1036.

Wer Einsamkeit sucht, wird im Hunsrück mit Sicherheit fündig.

Anyone looking for solitude is sure to find it in Hunsrück.

Celui qui cherche la solitude est sûr de la trouver dans le Hunsrück.

Links/left/à gauche:
Weinberg bei Beilstein.

Vineyard near Beilstein.

Une vigne près de Beilstein.

Rechts/right/à droite:
Große Wolken türmen sich über
dem Städtchen Birkweiler.

Large clouds loom over the small
town of Birkweiler.

De gros nuages se forment au-
dessus du bourg de Birkweiler.

Links/left/à gauche:
Zu den berühmtesten Weinanbau-
gebieten Deutschlands gehören
die Weinberge an der Mosel.

The vineyards on the Mosel are
counted amongst Germany's most
famous.

Les vignes le long de la Moselle
comptent parmi les plus célèbres
régions viticoles d'Allemagne.

Die Porta Nigra in Trier wurde von den alten Römern erbaut.

The Porta Nigra in Trier was built by the Romans.

La Porta Nigra à Trèves fut construite par les vieux romains.

Rechts/right/à droite:
Auch Trier hat einen altehrwürdigen Dom vorzuweisen.

Trier also boasts a time-honoured cathedral.

Trèves peut, elle aussi, se vanter d'une vieille et respectable cathédrale.

Links/left/à gauche:
Schöne Fachwerkhäuser schmücken die Altstadt von Mainz, der
Landeshauptstadt von Rheinland-Pfalz. Berühmtester Bewohner des mit-
telalterlichen Stadtkerns war der Erfinder der Buchdruckerkunst, Johannes
Gensfleisch, überall besser bekannt als Johannes Gutenberg.

Lovely, half-timbered houses grace the old town in Mainz, the capital of
the Rhineland Palatinate. The most famous inhabitant of the medieval
town centre was the inventor of book printing, Johannes Gensfleisch,
better known everywhere as Johannes Gutenberg.

De belles maisons à colombages décorent la ville de Mayence, capitale
de la Rhénanie-Palatinat. Le plus célèbre habitant de la cité médiévale fut
l'inventeur de l'art typographique, Johannes Gensfleisch, mieux connu
dans le monde sous le nom de Johannes Gutenberg.

Saarland

Saarland

Sarre

Kleiner Flächenstaat an der Saar

Das Saarland wurde – im Gegensatz zu den anderen westdeutschen Bundesländern – erst 1957 dem deutschen Bundesgebiet angegliedert. Zunächst hatten sich Deutsche und Franzosen im Saarvertrag über den Anschluß des Saarlands an Deutschland einigen müssen. Das nach den Stadtstaaten von der Fläche kleinste Bundesland ist klimatisch sehr begünstigt und hat Anteile am Pfälzer Wald, dem Saar-Nahe-Bergland und dem Hunsrück. Die einzige größere Stadt in dem idyllischen, zum Teil schon von französischer Lebensart geprägten Land ist Saarbrücken.

Die saarländische Landeshauptstadt wurde im Zweiten Weltkrieg stark zerstört, schließlich war das Saarland eines der Zentren der Steinkohleförderung und somit der Energiegewinnung Deutschlands. Aufgebaut wurde nach dem Krieg unter anderem das Saarbrücker Schloß, das bereits ab 1563 errichtet wurde, über die Jahrhunderte hinweg jedoch immer wieder zerstört worden war. Auch die barocke Ludwigskirche (1761–1775) wurde nach 1945 rekonstruiert.

Die bedeutendste Wallfahrtskirche des Saarlands befindet sich in St. Wendel – in der Kirche St. Wendelinus sollen die Gebeine des heiligen Wendelin, des Beschützers von Vieh und Land, ruhen. Die Portale der Kirche, mit deren Bau im 14. Jahrhundert begonnen wurde, zieren fein gearbeitete Steinfiguren. In Perl-Nennig im Landkreis Merzig-Wadern sind die Überreste einer luxuriösen römischen Villa mit herrlich gestalteten Mosaiken zu besichtigen.

Small state on the River Saar

The Saarland – as opposed to the other West German states – only joined the Federal Republic of Germany in 1957. First of all Germany and France had to agree on the Saarland being united with Germany in the Saar Treaty. After the city states, Saarland is the smallest state in Germany when it comes to size. It has a very favourable climate and has parts of the Palatinate Forest, the Saar-Nahe Mountains and the Hunsrück. The only larger town in this idyllic land, characterised in many ways by its French way of life, is Saarbrücken.

The Saarland capital was badly damaged during World War II. After all the Saarland was a mining centre and therefore important for energy production in Germany. After the war, Saarbrücken Castle was one of the damaged buildings to be rebuilt. It was originally constructed in 1563, but over the centuries had been destroyed time and time again. The Baroque Ludwigskirche (1761–1775) was also rebuilt after 1945.

Saarland's best-known pilgrimage church can be found in St. Wendel – St. Wendelinus Church is said to contain the mortal remains of St. Wendelin, the patron saint of animals and land. The church's portals, begun in the 14th century, are decorated with finely crafted stone figures.

In Perl-Nennig in the rural district of Merzig-Wadern can be found the ruins of a luxurious Roman villa with beautifully designed mosaic work.

Petit état en superficie situé au bord de la Sarre

Contrairement aux autres états de l'Allemagne de l'Ouest, la Sarre ne fut rattachée à l'Allemagne qu'en 1957. D'abord, les Allemands et les Français ont dû se mettre d'accord dans le contrat de la Sarre sur le rattachement de la Sarre à l'Allemagne. Derrière les états-ville, le plus petit état en superficie est fortement favorisé par son climat et profite de parties de la forêt du Palatinat, du Saar-Nahe-Bergland et du Hunsrück. Sarrebrouck, la seule grande ville de l'état idyllique est en partie déjà marquée par la manière de vivre française.

La capitale de la Sarre fut fortement détruite pendant la deuxième guerre mondiale, car la Sarre était un des centres d'exploitation du charbon et d'énergie de l'Allemagne. Après la guerre, le château de Sarrebrouck, qui fut déjà érigé vers 1563, mais qui fut toujours détruit au cours des siècles, a été reconstruit. La Ludwigskirche (1761–1775) dans le style baroque a aussi été reconstruite après 1945.

L'église de pèlerinage la plus remarquable de la Sarre se trouve à St. Wendel. On dit que dans l'église St. Wendelinus se trouvent la dépouille mortelle de Saint Wendelin, le protecteur des animaux et de la terre. Le portail de l'église, dont la construction remonte au 14ème siècle, est décoré avec des figures en pierre finement travaillées.

A Perl-Nennig, dans le Landkreis Merzig-Wadern, on peut visiter des ruines d'une villa romane luxurieuse avec des mosaiques magnifiquement façonnés.

Eckdaten

Fläche: 2570 km²	Einwohner: 1,1 Millionen
Hauptstadt: Saarbrücken	Einwohner pro km²: 422
Größte Städte (Einwohner):	1. Saarbrücken (358 200)
	2. Neunkirchen (51 700)
	3. Homburg (45 664)
	4. St. Ingbert (41 000)

Bruttoinlandsprodukt pro Kopf: 40 593 DM

Haupterwerbszweige: Produzierendes Gewerbe: 44,4%, Dienstleistungen: 24,3%, Handel, Verkehr, Nachrichten-übermittlung: 22,1%, Landwirtschaft: 0,4%, Sonstiges: 8,9%

Sehenswürdigkeiten: Saarbrücker Schloß, Kirche St. Wendelinus, Römervilla bei Perl

Landschaften: Hunsrück, Pfälzer Wald, Saar-Nahe-Bergland

Gäste: 541 700, Übernachtungen: 2,1 Millionen

Infoadresse: Fremdenverkehrsverband Saarland
Dudweilerstr. 53
66111 Saarbrücken
Tel. 06 81-3 53 76, Fax 06 81-3 58 41

Key Features

Area: 2570 km²	Population: 1.1 million
Capital: Saarbrücken	Population per km²: 422
Largest cities (population):	1. Saarbrücken (358 200)
	2. Neunkirchen (51 700)
	3. Homburg (45 664)
	4. St. Ingbert (41 000)

Gross national product: 40 593 DM

Main branches of Industry: manufacturing industry: 44.4%, service industry: 24.3%, trade, transport and communication: 22.1%, agriculture: 0.4%, miscellaneous: 8.9%

Places of interest: Saarbrücken Castle, St. Wendelinus Church, Roman Villa near Perl

Regions: Hunsrück, Palatinate Forest, Saar-Nahe Mountains

Visitors: 541 700, overnight stays: 2.1 million

Information: Fremdenverkehrsverband Saarland
Dudweilerstr. 53
66111 Saarbrücken
Tel. 06 81-3 53 76, Fax 06 81-3 58 41

Statistiques de référence

Superficie: 2570 km²	Habitants: 1,1 millions
Métropole: Sarrebrouck	Habitants par km²: 422
Plus grandes villes (habitants):	1. Sarrebrouck (358 200)
	2. Neunkirchen (51 700)
	3. Homburg (45 664)
	4. St. Ingbert (41 000)

Produit intérieur brut par habitant: 40 593 DM

Ressources principales: activité industrielle productive: 44,4%, prestations de services: 24,3%, commerce, trafic et transmission des informations: 22,1%, agriculture: 0,4%, autres: 8,9%

Curiosités: Château de Sarrebrouck, Eglise St. Wendelinus, Villa romane près de Perl

Paysages: Hunsrück, Forêt du Palatinat, Saar-Nahe-Bergland

Visiteurs: 541 700, logements: 2,1 millions

Adresse pour renseignements:
Fremdenverkehrsverband Saarland
Dudweilerstr. 53, 66111 Saarbrücken
Tel. 06 81-3 53 76, Fax 06 81-3 58 41

Links oben/left above/à gauche ci-dessus:
Die barocke Saarbrücker Ludwigskirche mußte nach dem Zweiten
Weltkrieg wiederaufgebaut werden.

The baroque Ludwig's Church in Saarbrücken had to be rebuilt after
World War II.

L'église baroque Saint-Louis nécessita une reconstruction après la
Seconde Guerre mondiale.

Idyllisch an der Saar liegt das kleine Städtchen Mettlach.

The little town of Mettlach lies idyllically on the Saar.

La petite ville de Mettlach un endroit idyllique au bord de la Sarre.

Zu den bedeutendsten Sehenswürdigkeiten Saarbrückens gehört das
Schloß aus dem 16. Jahrhundert, in das ein modernes Glaselement
integriert ist.

One of the most important sights in Saarbrücken is the castle from the
16th century, a modern part made of glass is completely integrated.

Un des plus célèbres monuments de Sarrebruck est le château du
XVIième siècle avec un élément moderne complètement intégré et en
verre.

Vorhergehende Seite/previous page/page précédente:
Im Saarland liegen romantische Idylle und Industrielandschaften nebeneinander: Hier grasen Schafe vor den Dillinger Hüttenwerken.

In Saarland romantic idylls and industrial landscapes lie next to each
other: here sheep are grazing in front of the Dillinger smelting works.

Dans la Sarre, idylle romantique et paysage industriel sont voisins:
ici des moutons broutent devant l'usine métallurgique de Dillingen.

Kunst und Kultur wird im Saarland großgeschrieben; hier die Skulptur „Verschiebung" von Elmar Daucher an der Skulpturenstraße.

Art and culture loom large in Saarland; here Elmar Daucher's sculpture "Displacement" on Skulpturen Strasse.

L'art et la culture voient leur importance reconnue dans la Sarre; ici la sculpture «L'ajournement» de Elmar Daucher sur la «route des sculptures».

Rechts oben/right above/à droite ci-dessus:
Die Gas- und Gebläsehalle in der ehemaligen Industriestadt Völklingen.

The gas and ventilator hall in the former industrial town of Völklingen.

La «salle du gaz et de la soufflerie» dans la ancien ville industrielle de Völklingen.

Von der Cloef hat man einen herrlichen Ausblick auf die Saarschleife.

Standing on the Cloef, there is a magnificent view on the "Saarschleife" (meander of the Saar).

Se trouvant sur la Cloef, on a une vue plongeante fantastique sur la «Saarschleife» (boucle de la Saar).

Hessen

Hesse

Hesse

Land der Mittelgebirge

Hessen, das etwa in Deutschlands Mitte liegt, ist ein grünes, waldreiches Land. Seine Landschaft ist geprägt durch die zahlreichen Mittelgebirge und die zwischen den Erhebungen liegenden Ebenen. Bereits im Nordosten, nahe der Grenzen zu Niedersachsen und Thüringen, befinden sich die Höhen von Knüll und Meißner. Die Rhön teilen sich die Hessen mit Bayern und Thüringen – in der Rhön liegt auch der höchste Berg Hessens: die Wasserkuppe (950 Meter). Im Süden sind der Odenwald und der Spessart zu finden, um dessen dunkle Wälder sich viele unheimliche Geschichten ranken.

Der Vogelsberg in Mittelhessen verdankt seine Entstehung der Tätigkeit von Vulkanen, was unschwer an dem Basaltgestein, aus dem das Mittelgebirge besteht, zu erkennen ist. 340 Kilometer Wanderwege erschließen dieses beliebte Ferienziel. Gespurte Loipen ermöglichen im Winter den Skilanglauf.

Im Westen Hessens finden sich schließlich noch der Westerwald und der Taunus. Der Hochtaunus mit dem 878 Meter hohen Großen Feldberg ist unter anderem Naherholungsgebiet für die Bewohner der Rhein-Main-Region. Auch wenn man es nicht vermutet: Wassersport wird in Hessen ebenfalls großgeschrieben. Die vielen Stauseen und Flüsse Hessens, zum Beispiel der Edersee südöstlich von Kassel und die Lahn, ziehen alljährlich eine große Zahl von Ruderern, Kanuwanderern und natürlich Schwimmern an.

Oft geteilt, später wiedervereint

Schon im ersten Jahrhundert v. Chr. waren große Teile des heutigen Hessen von dem germanischen Stamm der Chatten besiedelt. Im zehnten Jahrhundert n. Chr. fiel die Region an Franken. Sechs Jahrhunderte später wurde das mittlerweile zerfallene Hessen durch Philipp I., den Großmütigen, geeint. Doch nach seinem Tod 1567 wurde das Land erneut aufgeteilt – es entstanden die Gebiete Hessen-Darmstadt, Hessen-Kassel, Hessen-Marburg und Hessen-Rheinfels. Die Gebiete Hessen-Marburg und Hessen-Rheinfels blieben jedoch nicht lange bestehen: Sie fielen an Hessen-Kassel beziehungsweise an Hessen-Darmstadt.

Anfang des 19. Jahrhunderts wurde Hessen-Kassel zum Kurfürstentum ernannt und bezeichnete sich fortan als Kurhessen.

Bis zu Beginn der nationalsozialistischen Herrschaft in Deutschland (1933) gab es noch weitere Gebietsverschiebungen und Namensänderungen. Nach dem Zweiten Weltkrieg bildeten die Amerikaner aus den unter ihrer Verwaltung stehenden Gebieten des ehemaligen Volksstaats Hessen und der früheren preußischen Provinzen Kurhessen und Hessen-Nassau das Land Hessen.

Messeturm und documenta

An Städten mit historischen Stadtkernen – wie Limburg, Wetzlar, Marburg oder Alsfeld – herrscht in Hessen kein Mangel, denn viele kleinere Orte blieben während des Zweiten Weltkriegs von Zerstörungen verschont. Die meisten großen Städte wie Frankfurt am Main, Darmstadt und Kassel hatten jedoch stark unter den alliierten Bombenangriffen zu leiden. Aber zum Glück wurden zahlreiche historische Gebäude nach dem Krieg wiederaufgebaut.

In Frankfurt am Main, der größten Stadt des Bundeslandes, ist der Gegensatz zwischen alten, restaurierten und modernen Gebäuden besonders auffällig. Einerseits liegt mitten in der Stadt in Mainnähe die Paulskirche, die von 1789 bis 1833 erbaut wurde, andererseits ist nur einige Kilometer davon entfernt das Bankenviertel mit den Glaspalästen der Großbanken zu finden. Überragt werden selbst die höchsten Hochhäuser noch vom 256 Meter hohen Messeturm am Messegelände, der 1991 fertiggestellt wurde.

In der hessischen Hauptstadt Wiesbaden blieben trotz des Krieges viele Bürgerhäuser – zum Teil noch aus dem 19. Jahrhundert – erhalten. Besonders sehenswert sind außerdem das Schloß, das Anfang des 19. Jahrhunderts erbaut wurde und heute Sitz des Landtags ist, sowie die Kuranlagen des Heilbads.

Darmstadts Innenstadt wurde im Zweiten Weltkrieg dem Erdboden gleichgemacht. Erhalten blieb jedoch zu einem großen Teil die Künstlerkolonie Mathildenhöhe mit ihren im Jugendstil errichteten Gebäuden.

Die nordhessische Stadt Kassel ist vor allem durch die seit 1955 alle vier bis fünf Jahre stattfindende Ausstellung zeitgenössischer Kunst, die „documenta", international bekannt geworden. In zahlreichen Gebäuden der Innenstadt, aber auch auf größeren Plätzen werden die Kunstwerke den Besuchern präsentiert.

Eckdaten

Fläche: 21 115 km²	Einwohner: 6,0 Millionen
Hauptstadt: Wiesbaden	Einwohner pro km²: 285
Größte Städte (Einwohner):	1. Frankfurt/M. (651 200)
	2. Wiesbaden (266 400)
	3. Kassel (201 400)
	4. Darmstadt (139 100)

Bruttoinlandsprodukt pro Kopf: 57 242 DM

Haupterwerbszweige: Produzierendes Gewerbe: 36,6%, Handel, Verkehr, Nachrichtenübermittlung: 27,5%, Dienstleistungen: 25,7%, Landwirtschaft: 0,6%, Sonstiges: 9,5%

Sehenswürdigkeiten: Alte Oper, Paulskirche, Römer/Frankfurt, Schloß Wilhelmshöhe

Landschaften: Odenwald, Rhön, Spessart, Taunus, Vogelsberg, Westerwald

Gäste: 8,3 Millionen, Übernachtungen: 25,2 Millionen

Infoadresse: Hessischer Fremdenverkehrsverband
Abraham-Lincoln-Str. 38-42, 65189 Wiesbaden
Tel. 06 11-77 88 00, Fax 06 11-7 78 80 40

Hesse

The land of the low mountain ranges

Hesse, which lies approximately in the centre of Germany, is a green land rich in forests. The landscape is characterised by its many low mountain ranges and the flatlands between the elevations. In the north-east, close to the borders with Lower Saxony and Thuringia, are the mountain ranges of Knüll, Meissner and Rhön – in the Rhön is also Hesse's highest mountain: the Wasserkuppe (950 metres). In the south can be found the Odenwald and Spessart. There are many eerie stories concerning the dark forests in this area.

The Vogelsberg in mid-Hesse thanks its creation to volcanic activity, a fact that is not difficult to accept when looking at the basalt which the mountain range consists of. 340 kilometres of pathway make this favourite holiday destination accessible. Cross-country skiing courses allow skiing in winter.

In the west of Hesse we find the Westerwald and Taunus. The Hochtaunus with its 878 metre high Grosser Feldberg is, among other things, a recreational area for the inhabitants of the Rhine-Main region. Even if you would not expect it, water sports also loom high in Hesse. Hesse's many artificial lakes and rivers, for example the Eder Reservoir south-east of Kassel, and the River Lahn, annually draw a great many rowers, canoeists and, of course, swimmers.

Often divided, later reunited

Even in the first century AD, large parts of what is today Hesse were populated by the Germanic Chat tribe. In the tenth century AD, the region fell to the Franconians. Six centuries later, Hesse, which in the meantime had become dilapidated, was reunited by Philip I, the Magnanimous. However, after his death in 1567, the country was again split up – the regions of Hesse-Darmstadt, Hesse-Kassel, Hesse-Marburg and Hesse-Rheinfels were formed. The regions of Hesse-Marburg and Hesse-Rheinfels did not exist for very long. They fell to Hesse-Kassel and Hesse-Darmstadt respectively.

At the beginning of the 19th century, Hesse-Kassel was made an electorate and from that point onwards called itself Kurhesse. There were further regional shifts and name changes up to the National Socialist rule in Germany (1933).

After World War II, the Americans formed the state of Hesse from the regions under their administration, the former national state of Hesse and the Prussian provinces Kurhesse and Hesse-Nassau.

Trades fair tower and "documenta"

Hesse has no shortage of towns with historical centres like Limburg an der Lahn, Wetzlar, Marburg or Alsfeld, since many of its smaller places were spared destruction during World War II.

However, most of the large cities such as Frankfurt am Main, Darmstadt and Kassel suffered greatly under Allied bombardment. Fortunately, many historical buildings were rebuilt after the war.

In Frankfurt am Main, the largest city in the state, the contrast between old, restored and modern buildings is especially noticeable. On the one hand, in the city centre, close to the River Main, there is St. Paul's Church, built from 1789 to 1833, and on the other hand just a few kilometres away is the banking district with its glass palaces, home to major banks. Even the skyscrapers are towered above by the 256 metre high tower of the trades fair site which was completed in 1991, designed by the famous architect Jahn.

In Wiesbaden, Hesse's capital, many fine old buildings remained intact in spite of the war – some even from the 19th century. A special point of interest besides these are the castle, built at the beginning of the 19th century and today the seat of parliament of the state, and the sanatorium facilities in the health resort.

Darmstadt's inner city was razed to the ground in World War II. However, a great part of the artists' colony Mathildenhöhe with its Art Nouveau buildings remained untouched.

The city of Kassel in the north of Hesse has won international acclaim above all through "documenta", the exhibition of contemporary art which has taken place there every four or five years since 1955. The works of art are displayed to visitors in numerous buildings in the inner city and also in larger public places.

Key Features	
Area: 21 115 km²	Population: 6.0 million
Capital: Wiesbaden	Population per km²: 285
Largest cities (population):	1. Frankfurt/M. (651 200)
	2. Wiesbaden (266 400)
	3. Kassel (201 400)
	4. Darmstadt (139 100)
Gross national product: 57 242 DM	
Main branches of Industry: manufacturing industry: 36.6%, trade, transport and communication: 27.5%, service industry: 25.7%, agriculture: 0.6%, miscellaneous: 9.5%	
Places of interest: Old Opera House, St. Pauls Church, Römer/Frankfurt, Wilhelmshöhe Castle	
Regions: Odenwald, Rhön, Spessart, Taunus, Vogelsberg, Westerwald	
Visitors: 8.3 million, overnight stays: 25.2 million	
Information: Hessischer Fremdenverkehrsverband Abraham-Lincoln-Str. 38-42, 65189 Wiesbaden Tel. 06 11-77 88 00, Fax 06 11-7 78 80 40	

Hesse

Pays des chaînes de montagnes de hauteur moyenne

Hesse, situé environ au milieu de l'Allemagne, est un état vert et riche en forêts. Son paysage est marqué par ses nombreuses chaînes de montagnes de hauteur moyenne et les plaines s'étendant entre les montagnes. Déjà dans le nord-est, à la frontière vers la Basse-Saxe et la Thuringe, se trouvent les élévations de Knüll, Meissner et Rhön, dans lequel se situe aussi la plus haute montagne de Hesse, la Wasserkuppe (950 mètres). Dans le sud, on trouve l'Odenwald et le Spessart.

Le Vogelsberg à l'Hesse centrale doit sa formation aux éruptions volcaniques, ce qu'on peut facilement distinguer aux roches basaltiques, dont la chaîne de montagnes est consistée. Environs 340 kilomètres de chemins pédestres mettent en valeur ce but agréable de vacances. Des pistes préparées permettent de pratiquer le ski de fond en hiver.

Dans l'ouest de Hesse se trouvent finalement encore le Westerwald et le Taunus. Le Haut-Taunus avec le Feldberg, une montagne de 878 mètres d'altitude est entre-autre une contrée de détente proche pour les habitants de la région du Rhin-Main. Même si l'on ne le suppose pas, le sport nautique joue aussi un très grand rôle à Hesse. Les nombreux bassins de retenue et fleuves à Hesse, comme par exemple le Edersee dans le sud-est de Kassel et la Lahn, attirent chaque année un grand nombre de rameurs, de canoéistes et bien sûr de nageurs.

Souvent divisé, mais plus tard réuni

Déjà au premier siècle avant J.-C. des grandes parties du Hesse contemporain étaient colonisées par une tribu germanique des Chatten. Au dixième siècle apr. J.-C. cette région tombait à la Franconie. Six siècles plus tard, Hesse, qui entretemps était divisée, était réunie par Philippe Ier, nommé le Généreux. Mais après sa mort, en 1567, le pays fut de nouveau divisé et il en résulta les régions Hesse-Darmstadt, Hesse-Kassel, Hesse-Marburg et Hesse-Rheinfels. Hesse-Marburg et Hesse-Rheinfels ne sont pas restées longtemps existentes, car elles ont été annexées à Hesse-Kassel ou notamment à Hesse-Darmstadt. Au début du 19ème siècle, Hesse-Kassel était déclaré comme électorat et se nommait désormais Kurhessen. Jusqu'au début de l'empire national-socialiste il y eut encore d'autres variantes des territoires et changements de noms. Après la deuxième guerre mondiale, les américains ont formé l'état Hesse par les territoires qui étaient sous leur administration de l'ancien état populaire de Hesse et les provinces d'origine prusses Kurhessen et Hesse-Nassau.

Tour du parc des expositions et la documenta

Hesse ne manque pas de villes avec centre historique, car beaucoup de petits villages ont échappés aux destructions de la deuxième guerre mondiale. Cependant, la majorité des grandes villes comme Francfort-sur-le-Main, Darmstadt et Kassel ont beaucoup souffert des bombardements alliés. Mais heureusement de nombreux bâtiments historiques ont été reconstruits après la guerre.

A Francfort, la plus grande ville de l'état, le contraste entre anciens bâtiments reconstruits et les bâtiments modernes est particulièrement frappant. D'une part la Paulskirche, construite de 1789 à 1833, se trouve en plein milieu de la ville près du Main et d'autre part le quartier des banques avec les palais de verre des grandes banques est situé seulement quelques kilomètres plus loin. La tour du parc des expositions, achevée en 1991 domine les plus grands grattes ciel par sa hauteur de 256 mètres.

Dans la capitale hesse, Wiesbaden, une grande partie des maisons bourgeoises, remontant au 19ème siècle, est restée conservé malgré la guerre. Le château, construit au début du 19ème siècle est aujourd'hui le siège du Landtag, ainsi que les thermes sont entre autre très remarquables.

Le centre de Darmstadt a été détruit complètement pendant la deuxième guerre mondiale. Seule la colonie d'artistes «Mathildenhöhe» avec ses bâtiments du style de 1900 est restée en grande partie intacte.

La ville de Kassel dans le nord-ouest de Hesse a acquis en première ligne une réputation mondiale en raison de l'exposition d'art moderne, la «documenta», qui, depuis 1955, a lieu tous les 4 à 5 ans. Dans de nombreux bâtiments du centreville ainsi que sur les plus grandes places, les œuvres sont présentées aux visiteurs.

Statistiques de référence

Superficie: 21 115 km²	Habitants: 6,0 millions
Métropole: Wiesbaden	Habitants par km²: 285
Plus grandes villes (habitants):	1. Francfort/M. (651 200)
	2. Wiesbaden (266 400)
	3. Kassel (201 400)
	4. Darmstadt (139 100)

Produit intérieur brut par habitant: 57 242 DM

Ressources principales: activité industrielle productive: 36,6%, commerce, trafic et transmission des informations: 27,5%, prestations de services: 25,7%, agriculture: 0,6%, autres: 9,5%

Curiosités: Ancien opéra, Paulskirche, Römer/Francfort, Château Wilhelmshöhe

Paysages: Odenwald, Rhön, Spessart, Taunus, Vogelsberg, Westerwald

Visiteurs: 8,3 millions, logements: 25,2 millions

Adresse pour renseignements:
Hessischer Fremdenverkehrsverband
Abraham-Lincoln-Str. 38-42, 65189 Wiesbaden
Tel. 06 11-77 88 00, Fax 06 11-7 78 80 40

Links oben/left above/à gauche ci-dessus:
Im Zentrum Darmstadts liegt der Luisenplatz mit dem Ludwigsmonument.

Luisenplatz with the Ludwig Monument lies in Darmstadt's town centre.

A Darmstadt se trouve la place de Louise avec le monument de Louis.

Seite 105 und links/page 105 and left/page 105 et à gauche:
Die Türme der Marktkirche überragen die Gebäude in Wiesbaden.

The Market Church towers above the buildings in Wiesbaden.

Les tours de l'église du Marché dépassent les bâtisses à Wiesbaden.

Hoch über der Stadt liegt der Dom von Limburg an der Lahn.

High above the city is the cathedral of Limburg an der Lahn.

La cathédrale de Limburg an der Lahn surplombe la ville.

Folgende Doppelseite/following pages/pages suivantes:
Frankfurt am Main wird auch Mainhattan genannt.

Frankfurt am Main is also called Mainhattan.

Francfort-sur-le-Main ont apportés à la ville le surnom de «Mainhattan».

Auf dem Frankfurter Römerberg herrscht besonders bei schönem Wetter geschäftiges Treiben.

When the weather is fine, there are a great number of people out and about on Frankfurt's Römerberg.

Le Römerberg de Francfort est très animé, surtout par beau temps.

Rechts oben/right above/à droite ci-dessus:
Die hessische Universitätsstadt Marburg liegt an dem besonders bei Paddlern beliebten Fluß Lahn.

The Hessian university town of Marburg lies on the river Lahn, a favourite with rowers.

Marburg, ville universitaire en Hesse, est située au bord de la rivière Lahn qui est spécialement appréciée par les canoéistes.

Links/left/à gauche:
Der kleine Ort Michelstadt ist berühmt für seinen historischen Stadtkern.

The small town of Michelstadt is famous for its historical centre.

Le petit bourg de Michelstadt est célèbre pour son centre ville historique.

Rechts/right/à droite:
Vom hessischen Feldberg blickt man hinab auf Reifenberg.

From the Hessian Feldberg one looks down to the Reifenberg.

La vue sur Reifenberg depuis la Feldberg en Hesse.

Thüringen
Thuringia
Thuringe

Das grüne Herz Deutschlands

Ausgedehnte Wälder, farbenfrohe Wiesen und langgestreckte Mittelgebirge – das sind die herausragendsten Kennzeichen Thüringens. Kein Wunder, daß das an Naturschönheiten reiche Land oft als das grüne Herz der Bundesrepublik bezeichnet wird; schließlich liegt es auch noch ungefähr in der Mitte Deutschlands.

Vor allem der Thüringer Wald, der sich über rund 100 Kilometer im Süden des Landes erstreckt, ist ein beliebtes Reiseziel. Im Sommer locken herrliche Wanderwege, im Winter besteht die Möglichkeit zum Skilaufen. Hier liegt auch der wohl bekannteste Höhenwanderweg Deutschlands, der 168 Kilometer lange Rennsteig. Aus rund 800 bis 900 Meter Höhe bietet er herrliche Ausblicke. Wer die Einsamkeit beim Wandern sucht, sollte sich nicht an den im Sommer von vielen benutzten Hauptwanderweg halten, sondern an die überall vorhandenen kleineren Wanderwege.

Auch der nördliche Teil Thüringens hat seine Reize. Hier am nordwestlichen Rand des Thüringer Beckens liegt das Eichsfeld, eine von 350 bis 500 Meter hohen Erhebungen durchzogene Landschaft, in der sich viele hübsche Dörfer mit Fachwerkhäusern befinden.

Weiter im Osten, in der Nachbarschaft des Harzes, erhebt sich das bis zu 477 Meter hohe Kyffhäusergebirge, auf dessen nordöstlichem Kamm 1896 das sogenannte Kyffhäuserdenkmal errichtet wurde. Es zeigt unter anderem eine Plastik von Kaiser Friedrich I. Barbarossa. Laut einer alten Legende soll Kaiser „Rotbart" im Berg schlafen, um schließlich eines Tages wiederzukehren.

Auf Goethes und Luthers Spuren

Nicht nur landschaftlich, auch kulturell hat Thüringen einiges zu bieten. So ist der Name Weimar untrennbar mit dem berühmten deutschen Dichter Johann Wolfgang von Goethe verknüpft, der 57 Jahre lang (1775–1832) in der Stadt lebte und deren gesellschaftliches und kulturelles Leben nachhaltig prägte. Goethes Wohnhaus am Frauenplan kann heute noch besichtigt werden. Auch ein anderer großer Dichter, nämlich Friedrich Schiller, lebte eine Zeitlang in Weimar – von seiner Anwesenheit zeugt noch heute das Schillerhaus. Bereits im Jahr 1553 war der neben Albrecht Dürer größte Maler der deutschen

Renaissance, Lucas Cranach der Ältere, in Weimar gestorben. In der Stadtkirche von Weimar ist noch heute ein von ihm gefertigter Altar zu sehen; zahlreiche Cranach-Werke zeigen die im Schloß untergebrachten Kunstsammlungen zu Weimar.

Leider gibt es auch einen großen schwarzen Fleck in Weimars Stadtgeschichte: Während der Zeit des Nationalsozialismus war das Konzentrationslager Buchenwald in unmittelbarer Nähe der Stadt Schauplatz unsäglicher Grausamkeiten – über 56000 Menschen fanden hier den Tod. Heute dient das ehemalige KZ-Gelände als Mahn- und Gedenkstätte für die Opfer des Nazi-Terrors.

Doch Thüringen besteht natürlich nicht nur aus Weimar, ein weiterer ganz besonderer Anziehungspunkt ist die Wartburg bei Eisenach. Die angeblich 1067 gegründete Burg soll Austragungsort des sogenannten Wartburgkriegs, eines Sängerwettstreits, gewesen sein, und der Reformator Martin Luther fand hier 1521/22 Zuflucht und übersetzte das Neue Testament. 1817 fand auf der Burg das Wartburgfest statt, ein Zusammentreffen von Studenten, die sich für größere Liberalität in Deutschland einsetzten.

Von Erfurt bis Sonneberg

Die 741 gegründete heutige Landeshauptstadt Erfurt war im Mittelalter besonders reich mit Kirchen und Klöstern gesegnet – noch heute zeugen die St. Severikirche (1280–1400) und der Dom (1154–1465) von der einstigen Pracht. Gotha, die ehemalige Residenz der Herzöge von Sachsen-Gotha, besitzt mit Schloß Friedenstein das erste im barocken Stil erbaute Schloß Thüringens.

Die alte Universitätsstadt Jena wurde wegen der Zeiss-Werke bekannt, die optische Präzisionsgeräte herstellen. In der Altstadt um den Markt herum finden sich trotz großer Zerstörungen im Zweiten Weltkrieg noch einige schöne Bauten aus dem 16. bis 19. Jahrhundert. Die ehemalige Tuchmacherstadt Gera war zu Zeiten der DDR vor allem Industriestandort – im Raum Gera wurden Uranerze abgebaut. Hier kam aber auch der Expressionist Otto Dix zur Welt, an den heute noch ein Museum erinnert. Einen Abstecher ist auch Sonneberg wert, eine Kleinstadt, deren Spielwaren im 17. Jahrhundert bis nach Amerika exportiert wurden.

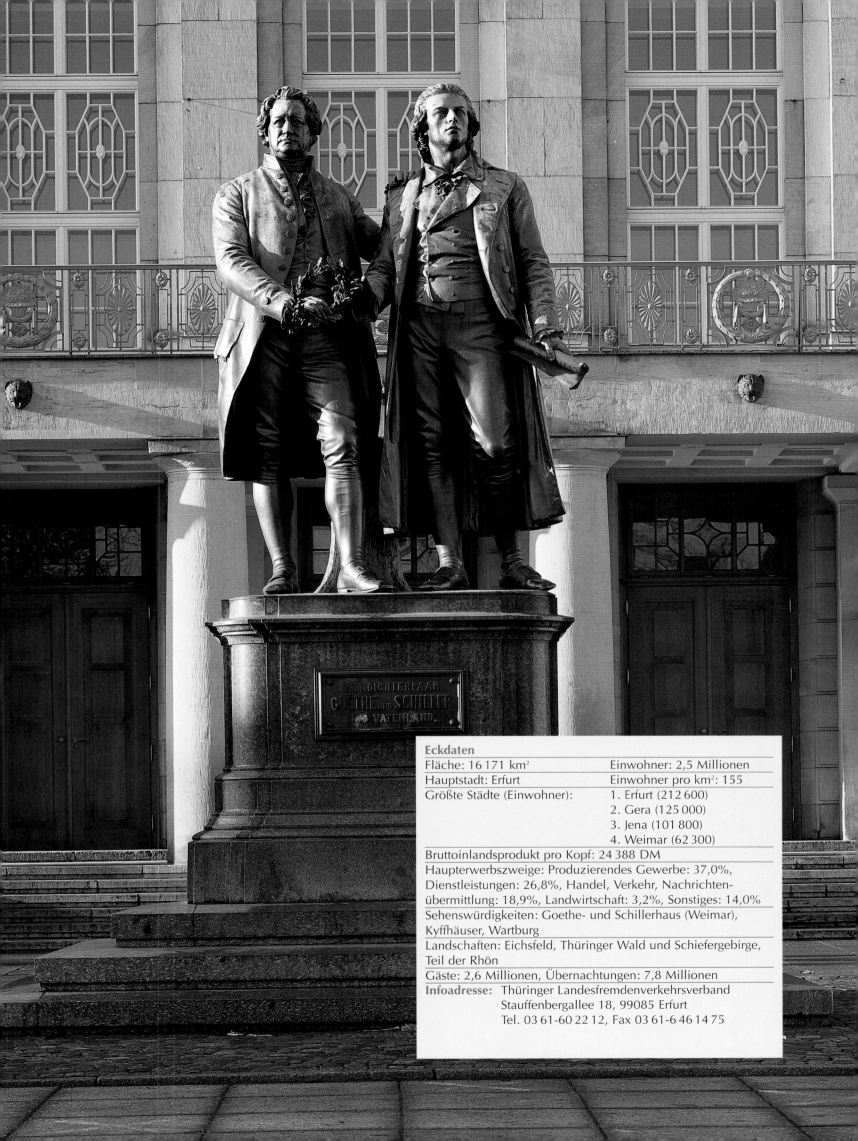

Eckdaten

Fläche: 16 171 km²	Einwohner: 2,5 Millionen
Hauptstadt: Erfurt	Einwohner pro km²: 155
Größte Städte (Einwohner):	1. Erfurt (212 600)
	2. Gera (125 000)
	3. Jena (101 800)
	4. Weimar (62 300)

Bruttoinlandsprodukt pro Kopf: 24 388 DM

Haupterwerbszweige: Produzierendes Gewerbe: 37,0%, Dienstleistungen: 26,8%, Handel, Verkehr, Nachrichten- übermittlung: 18,9%, Landwirtschaft: 3,2%, Sonstiges: 14,0%

Sehenswürdigkeiten: Goethe- und Schillerhaus (Weimar), Kyffhäuser, Wartburg

Landschaften: Eichsfeld, Thüringer Wald und Schiefergebirge, Teil der Rhön

Gäste: 2,6 Millionen, Übernachtungen: 7,8 Millionen

Infoadresse: Thüringer Landesfremdenverkehrsverband
Stauffenbergallee 18, 99085 Erfurt
Tel. 03 61-60 22 12, Fax 03 61-6 46 14 75

Thuringia

Germany's green heart

Vast forests, colourful meadowland and long stretches of low mountain ranges – these are Thuringia's most outstanding features. It is not surprising that this country, rich in natural beauty, is often referred to as the green heart of the Federal Republic of Germany.

A favourite holiday destination is the Thuringian Forest stretching for around 100 kilometres in the southern part of the state. In summer guests are lured by wonderful hiking trails and in winter by skiing.

Here can also be found Germany's best-known ridge hiking path, the 168 kilometre long Rennsteig. It offers a wonderful panoramic view from a height of around 200 to 900 metres. Those looking for solitude should keep away from the main hiking path in summer as it is well used and instead try the smaller paths to be found everywhere.

Thuringia's northern region also has its charm. Here at the north-western edge of the Thuringian Basin is the Eichsfeld, an area crossed by 350 to 500 metres elevations, containing many pretty villages with half-timbered houses.

Further to the east, in the neighbourhood of the Harz mountains can be found the Kyffhäuser Mountains which reach heights of up to 477 metres.

In 1896 on the north-eastern ridge the so-called Kyffhäuser Monument was erected. Among other interesting things it shows a statue of Emperor Frederick I, Barbarossa. According to an old legend, Emperor "Red Beard" sleeps in the mountains to return one day.

Key Features

Area: 16 171 km²	Population: 2.5 million
Capital: Erfurt	Population per km²: 155
Largest cities (population):	1. Erfurt (212 600)
	2. Gera (125 000)
	3. Jena (101 800)
	4. Weimar (62 300)
Gross national product: 24 388 DM	
Main branches of Industry: manufacturing industry: 37.0%, service industry: 26.8%, trade, transport and communication: 18.9%, agriculture: 3.2%, miscellaneous: 14.0%	
Places of interest: Goethe and Schiller House (Weimar), Kyffhäuser, Wartburg	
Regions: Eichsfeld, Thuringian Forest and Schiefergebirge (slate mountains), part of the Rhön	
Visitors: 2.6 million, overnight stays: 7.8 million	
Information: Thüringer Landesfremdenverkehrsverband Stauffenbergallee 18, 99085 Erfurt Tel. 03 61-60 22 12, Fax 03 61-6 46 14 75	

On Goethe's and Luther's tracks

Thuringia does not just have a wonderful landscape, but also something in the way of culture to offer. The name Weimar is inseparably tied with the famous German poet Johann Wolfgang Goethe who lived in the town for 57 years (1775–1832). He had a lasting influence on the town's social and cultural life. Goethe's house on Frauenplan can still be visited today. Another great writer also lived in Weimar for some time, namely Friedrich Schiller – Schiller House today still bears witness to his presence. The greatest painter of the German Renaissance beside Alfred Dürer, Lucas Cranach the Older, died in Weimar in 1553. In the Weimar municipal church an altar that he made can still be seen. The Weimar Collection in the castle has many examples of Cranach's work.

Unfortunately there is also a large black spot in Weimar's history. During the National Socialist era, the concentration camp Buchenwald in the town's immediate vicinity was the scene of unspeakable atrocities – more than 56 000 people were killed here. Today the former grounds of the camp serve as a monument to the victims of Nazi terror.

But of course Thuringia does not just consist of Weimar. Another very special point of attraction is the Wartburg near Eisenach. The castle, said to have been built in 1067, is supposed to have been the venue of the so-called Wartburg War, a singing competition. This was also the place where Martin Luther found refuge in 1521/22 and translated the New Testament. In 1817, the Wartburg Festival took place in the castle, a gathering of students advocating greater liberality in Germany.

From Erfurt to Sonneberg

Today's capital, Erfurt, founded in 741, was especially rich in churches and monasteries in the Middle Ages – these days St. Severi Church (1280–1400) and the Cathedral (1154–1465) are witness to its erstwhile splendour. Gotha, the former residence of the Dukes of Saxony-Gotha, has Thuringia's first castle built in the Baroque style – Friedenstein Castle.

The old university town of Jena became well-known for the Zeiss factory that manufactured precision optical devices. In the Old Town around the market place there are still a few lovely buildings from the 16th to 19th centuries, despite heavy bombing during World War II. The former clothworker town of Gera was mainly an industrial location in GDR days – uranium ore was mined in the Gera region. But the Expressionist Otto Dix also first saw the light of the world here – a museum is a reminder of this today.

Sonneberg is also worth an excursion; it is a small town whose toys were exported as far as America even in the 17th century.

Thuringe

Le coeur vert de l'Allemagne

Des étendues de forêts, des prairies aux couleurs vives et des montagnes de hauteur moyenne, ce sont les signes distinctifs de la Thuringe. Ils n'est donc pas étonnant que l'état aux beautés naturelles est souvent caractérisé d'être le coeur vert de l'Allemagne. Finalement il se trouve aussi à peu près au milieu de l'Allemagne.

Surtout la forêt de la Thuringe, s'étirant sur environ 100 kilomètres dans le sud de l'état, est un but de voyage très favorisé. En été ce sont les magnifiques chemins pédestres et en hiver la possibilité de skier qui attirent les touristes. C'est ici que se trouve aussi probablement le plus célèbre chemin pédestre de l'Allemagne en altitude: le Rennsteig d'une longueur de 168 kilomètres. Il offre une vue splendide d'une hauteur d'environ 800 à 900 mètres. Celui qui en été cherche la solitude pendant la marche, ferait mieux de ne pas s'en tenir aux chemins principaux fort fréquentés, mais d'emprunter plutôt les sentiers qu'on trouve partout.

La région du nord de la Thuringe est aussi très attractive. Ici, au bord nord-ouest de la cuvette de Thuringe se trouve le Eichsfeld, un paysage traversé par des collines de 350 à 500 mètres dans lequel se trouvent de nombreux charmants villages avec des maisons à colombage. Plus à l'est, à proximité du Harz, s'élève la chaîne de montagnes Kyffhäuser d'une altitude de 477 mètres et dont on a construit le soidisant monument Kyffhäuser sur la crête nord-est.

Sur les traces de Goethe et de Luther

Pas seulement en paysages mais aussi au point de vue culturel, la Thuringe a beaucoup à offrir. Ainsi, Weimar est inséparablement lié au célèbre poête allemand Johann Wolfgang Goethe qui habita pendant 57 ans (1775-1832) dans cette ville et qui a donc fortement influencé sa vie culturelle et mondaine. La maison «Am Frauenplan» dans laquelle résidait Goethe, ne peut plus être visitée aujourd'hui. Encore un autre grand poête, Friedrich Schiller, habita un certain temps à Weimar et de sa présence fait preuve aujourd'hui encore la «Schillerhaus». Déjà en 1553, Lucas Cranach, le plus âgé, qui fut à côté de Albrecht Dürer le plus grand peintre de l'époque de la renaissance allemande, est décédé à Weimar. Dans la Stadtkirche de Weimar, on trouve aujourd'hui encore un autel crée par lui et de nombreuses oeuvres de Cranach y sont exposées parmi les collections d'arts de Weimar se trouvant dans le château.

Malheureusement, l'histoire de Weimar a aussi un côté sombre. Pendant l'époque du national-socialisme, le camp de concentration Buchenwald, un théâtre des opérations d'attrocités indicibles, où plus de 56 000 personnes sont mortes, se trouvait à proximité de la ville. Aujourd'hui, l'ancien térritoire du camp de concentration est un lieu commémoratif rappelant les victimes de la terreur des Nazis. Bien sûr la Thuringe ne comprend pas seulement Weimar. Une autre attraction très spéciale est la Wartburg près de Eisenach. Le château fort soidisant fondé en 1067 aurait été le lieu de déroulement de la dénommé «Guerre de Wartburg», un lieu de compétition de chanteurs et le réformateur Martin Luther y aurait trouvé refuge en 1521/22 où il y traduit le Nouveau Testament. En 1817, eût lieue la fête de Wartburg, une rencontre d'étudiants, qui s'engagea pour une plus grande libéralité .

D'Erfurt à Sonneberg

Erfurt, la capitale de l'état fondée en 741 était riche en églises et monastères pendant le moyen-âge. Aujourd'hui encore l'église St. Severi (1280-1400) et la cathédrale (1154-1465) témoignent de la somptuosité ancienne. Gotha, l'ancienne résidence des ducs de Sachsen-Gotha, possède par le château Friedenstein, le premier château construit dans le style baroque de la Thuringe. L'ancienne ville universitaire, Jena, est devenue populaire à cause des usines Zeiss, produisant des appareils de précision optique. Dans l'ancienne ville, autour du marché, on trouve encore quelques très beaux bâtiments du 16ème au 19ème siècle, malgré les destructions pendant la deuxième guerre mondiale. L'ancienne ville de drapiers, Gera, était pendant le régime de la RDA surtout un site industriel. Dans la région de Gera, des minerais d'uranium ont été exploités. C'est ici qu'est né l'expressioniste Otto Dix auquel rappelle aujourd'hui encore un musée. Sonneberg, une petite ville dont les jouets ont été exportés jusqu'aux Etats-Unis au 17ème siècle, vaut une visite.

Statistiques de référence	
Superficie: 16 171 km²	Habitants: 2,5 millions
Métropole: Erfurt	Habitants par km²: 155
Plus grandes villes (habitants):	1. Erfurt (212 600)
	2. Gera (125 000)
	3. Jena (101 800)
	4. Weimar (62 300)
Produit intérieur brut par habitant: 24 388 DM	
Ressources principales: activité industrielle productive: 37,0%, prestations de services: 26,8%, commerce, trafic et transmission des informations: 18,9%, agriculture: 3,2%, autres: 14,0%	
Curiosités: Goethe- et Schillerhaus (Weimar), Kyffhäuser, Wartburg	
Paysages: Eichsfeld, Forêt de Thuringe et Schiefergebirge, parties du Rhön	
Visiteurs: 2,6 millions, logements: 7,8 millions	
Adresse pour renseignements: Thüringer Landesfremdenverkehrsverband Stauffenbergallee 18, 99085 Erfurt Tel. 03 61-60 22 12, Fax 03 61-6 46 14 75	

Ein wenig windschief wirken die Häuser auf dem Kirchberg im thüringischen Leutersdorf.

The houses on Kirchberg in Leutersdorf in Thuringia appear to be a little askew.

Les maisons sur la montagne de l'église de Leutersdorf en Thuringe paraissent un peu penchées.

Rechts oben/right above/à droite ci-dessus:
Die St. Severikirche und der Dom liegen in Erfurt in allernächster Nähe.

St. Severi Church and the cathedral are very close to each other in Erfurt.

A Erfurt, l'église Saint-Séverin et la cathédrale sont voisines.

Auf der Krämerbrücke in Erfurt schmiegen sich die Häuser eng aneinander. Sie ist die einzige überbaute Brücke Deutschlands.

On the Krämer Bridge in Erfurt the houses nestle closely together. It is the only bridge in Germany covered by buildings.

Les maisons sur le pont des épiciers se serrent les unes contre les autres. Il est unique en Allemagne: c'est le seul pont couvert de bâtiments.

Seite 115/page 115:
Vor dem Weimarer Theater wurde für die Dichter Johann Wolfgang von Goethe und Friedrich Schiller ein Denkmal errichtet.

A monument was erected to the poets Johann Wolfgang von Goethe and Friedrich Schiller in front of the Weimar Theatre.

Un monument pour les poètes Johann Wolfgang von Goethe et Friedrich Schiller fut élevé devant le théâtre de Weimar.

Folgende Doppelseite/following pages/pages suivantes:
Ehemals Zufluchtsort Martin Luthers: die Wartburg in Eisenach.

Martin Luther's erstwhile refuge: the Wartburg in Eisenach.

L'ancien refuge de Martin Luther: La Wartburg à Eisenach.

Der Rennsteig ist der wohl bekannteste Höhenwanderweg Deutschlands; hier der Rennsteiggarten in Oberhof.

The Rennsteig is probably Germany's best-known mountain hiking path; here the Rennsteig Garden in Oberhof.

Parmi les chemins touristiques en hauteur en Allemange, le Rennsteig est probablement le plus connu; ici le jardin du Rennsteig à Oberhof.

Im Kyffhäusergebirge soll Kaiser Barbarossa bis zu dem Tag schlafen, an dem er wieder auferweckt wird.

In the Kyffhäuser Mountains, Emperor Barbarossa is said to be sleeping until the day he will be re-awakened.

On dit que l'empereur Barberousse dort dans les monts de Kyffhausen jusqu'au jour où il se fera réveiller.

Durch den Thüringer Wald ziehen sich herrliche Wanderwege, die auch ohne Auto gut zu erreichen sind.

Wonderful hiking paths criss-cross the Thuringian Forest. They can easily be reached without a car.

De magnifiques chemins touristiques bien accessibles, même sans voiture, traversent la forêt de Thuringe.

Im Thüringer Wald liegt der kleine Ort Steinbach.

The small town of Steinbach lies in the Thuringian Forest.

Le village de Steinbach dans la forêt de Thuringe.

Sachsen

Saxony

Sachsen

Viele Regionen, verschiedene Reize

Die Oberlausitz, das Elbsandsteingebirge, besser bekannt als Sächsische Schweiz, das Erzgebirge und das Vogtland, das sind nur einige der landschaftlich reizvollen Regionen Sachsens. Ist das bevölkerungsreichste ostdeutsche Bundesland im Norden um Leipzig herum noch recht flach, wird es zum Süden hin immer bergiger – der höchste Punkt des Landes ist schließlich mit 1214 Metern der Fichtelberg im Erzgebirge.

Zu den größten Naturschönheiten Sachsens zählt der Nationalpark Sächsische Schweiz südöstlich der Landeshauptstadt Dresden. Hier sind Sandsteintafelberge und liebliche Ebenen zu finden, aber auch bizarre Felsformationen wie die berühmte Bastei. Die Oberlausitz von Kamenz bis Görlitz ist Siedlungsgebiet der Sorben, eines slawischen Volkes, dem noch ungefähr 60 000 Menschen angehören. 40 000 davon leben in der Oberlausitz.

Das Erzgebirge verdankte seinen Ruhm zunächst seinen Bodenschätzen wie Silber und Zinn. Als diese weitgehend ausgebeutet waren, wandte sich ein Großteil der Bevölkerung der Holzschnitzerei zu, wovon noch so mancher Nußknacker auf dem weihnachtlichen Gabentisch zeugt. Heute ist das Erzgebirge in erster Linie ein beliebtes Reiseziel, nicht zuletzt wegen der guten Wintersportmöglichkeiten.

Die Vogtländische Schweiz bei Plauen, der Musikwinkel um Markneukirchen und der Bäderwinkel bei Bad Elster – dies sind die reizvollsten Gegenden des Vogtlandes. Im Musikwinkel werden seit Jahrhunderten berühmte Musikinstrumente wie die Markneukirchener Geigen gebaut, der Bäderwinkel lockt mit seinen Heilquellen und einer attraktiven Umgebung.

Vom Reich der Wettiner zum heutigen Freistaat

Zwar ließen sich im heutigen Gebiet von Sachsen bereits im sechsten Jahrhundert slawische Volksstämme nieder, doch erst mit der Gründung der Burg Meißen im Jahr 929 begann die eigentliche sächsische Geschichte. Im 11. Jahrhundert wurde erstmals ein Angehöriger des Fürstengeschlechts der Wettiner Herrscher von Meißen; bis ins 20. Jahrhundert hinein blieben die Wettiner in Sachsen an der Macht. Erst 1423 wurde jedoch mit der Übertragung des Herzogtums Sachsen-Wittenberg an die Wettiner der Name Sachsen für ihr Herrschaftsgebiet einge-

führt. Im Jahr 1806 wurde Sachsen zum Königreich – das Land schloß sich dem Rheinbund Napoleons an, Kurfürst Friedrich August III. wurde zum König ernannt. In der Völkerschlacht bei Leipzig (1813) unterlag Sachsen an der Seite Napoleons, so daß es 1815 drei Fünftel seines Gebiets an Preußen abtreten mußte. 1871 trat Sachsen dem Deutschen Reich bei. Im November 1918 wurde schließlich die Republik Sachsen ausgerufen, 1920 der Freistaat Sachsen gegründet. Nach dem Zweiten Weltkrieg wurde Sachsen der Sowjetischen Besatzungszone angegliedert und in der DDR in drei Bezirke aufgeteilt, bis der 1990 erneut gebildete Freistaat Sachsen zum Bundesland des wiedervereinigten Deutschlands wurde.

Kunstmetropole Dresden

Sachsen ist reich an Kunstschätzen. Vor allem Dresden, das August der Starke in seiner Regierungszeit 1673–1733 zu einer barocken Kunststadt ausbauen ließ, hat trotz großer Zerstörungen im Zweiten Weltkrieg viel Sehenswertes zu bieten. Weltberühmt ist der von dem Architekten Matthäus Daniel Pöppelmann und dem Bildhauer Balthasar Permoser entworfene barocke Zwinger, der die bedeutende Gemäldegalerie Alte Meister beherbergt. Hier ist unter anderem Raffaels „Sixtinische Madonna" zu besichtigen. Auch die Semperoper und das Albertinum, ein Museum mit der berühmten Gemäldesammlung Neue Meister, zählen zu den Kunstschätzen Dresdens. Die im Zweiten Weltkrieg zerbombte Frauenkirche soll bis zum Jahr 2006, dem 800jährigen Bestehen Dresdens, wiederaufgebaut werden.

Die größte Stadt Sachsens, Leipzig, ist ebenfalls sehr geschichtsträchtig. Die Nikolaikirche, die bereits etwa um 1165 gebaut wurde, war Ausgangspunkt der Bürgerrechtsbewegung in der DDR. Die Messehäuser und das Alte Rathaus deuten auf den ehemaligen Reichtum Leipzigs hin.

Meißen, die älteste Stadt Sachsens, sowie zahlreiche Burgen und Schlösser sind natürlich auch eine Reise wert. Im Erzgebirge locken die Silberstädte wie Freiberg, die älteste Bergbausiedlung Sachsens. Der spätgotische Freiberger Dom mit der Goldenen Pforte, einem Figurenportal aus dem 13. Jahrhundert, läßt noch heute den früheren Reichtum der Stadt und ihrer Bürger erkennen.

Eckdaten

Fläche: 18 412 km²	Einwohner: 4,6 Millionen
Hauptstadt: Dresden	Einwohner pro km²: 248
Größte Städte (Einwohner):	1. Leipzig (478 200)
	2. Dresden (472 900)
	3. Chemnitz (271 400)
	4. Zwickau (103 900)

Bruttoinlandsprodukt pro Kopf: 25 520DM

Haupterwerbszweige: Produzierendes Gewerbe: 38,1%, Dienstleistungen: 27,2%, Handel, Verkehr, Nachrichten-übermittlung: 19,9%, Landwirtschaft: 2,4%, Sonstiges: 12,3%

Sehenswürdigkeiten: Dresdner Zwinger, Gemäldegalerie Alte und Neue Meister

Landschaften: Sächsische Schweiz, Vogtland, Erzgebirge

Gäste: 4,1 Millionen, Übernachtungen: 12,3 Millionen

Infoadresse: Landesfremdenverkehrsverband Sachsen
Friedrichstr. 24, 01067 Dresden
Tel. 03 51-4 96 97 03, Fax 03 51-4 98 05 40

Saxony

Many regions, different attractions

Upper Lusatia, the Elbe sandstone mountains, better known in Germany as Sächsische Schweiz (Saxon Switzerland), the Erz Mountains and the Vogtland, these are only a few of Saxony's charming regions. The most densely populated state in East Germany is rather flat in the north around Leipzig, but as one progresses south it becomes more mountainous – the highest point in Saxony is the Fichtelberg in the Erz Mountains at 1214 metres.

One of Saxony's greatest natural beauties is the Sächsische Schweiz National Park, south-east of the capital Dresden. Here one can find sandstone table mountains and delightful plains, but also bizarre rock formations such as the famous Bastei. Upper Lusatia, from Kamenz to Görlitz, is the are where the Sorbs settled, a Slavic people of whom there area still around 60 000. 40 000 of them live in Upper Lusatia.

The Erz or Ore Mountains first became famous for their mineral resources such as silver and tin. When these were mainly exhausted, a major part of the population turned to wood carving, a fact witnessed by many nutcrackers standing around on tables at Christmas. These days the Erz Mountains are first and foremost a holiday destination, not least because of the good winter sports possibilities found there.

The Vogtland Schweiz, near Plauen, the Musikwinkel (musical corner) around Markneukirchen and the Bäderwinkel (medical spring corner) around Bad Elster – these are the most charming areas in the Vogtland. In the Musikwinkel famous musical instruments such as the Markneukirchen violin have been made for centuries. The Bäderwinkel lures visitors with its medicinal springs and attractive surroundings.

From the Wettiner wealth to a free state today

Although Slavic tribes settled in what is today Saxony as early as the 6th century, the true Saxon history only began in 929 AD with the foundation of Meissen Castle. The 11th century saw the first member of the Wettiner dynasty ruling Meissen. The Wettiners remained in power in Saxony right into the 20th century.

However, it was only in 1423 that they introduced the name Saxony for the area they ruled over after the transference of the Duchy of Saxony-Wittenberg to the Wettiners. In 1806, Saxony became a kingdom – the country joined Napoleon's Confederation of the Rhine. Prince Frederick August III was named king. In the Battle of the Nations near Leipzig (1813) Saxony lost at Napoleon's side, with the result that it had to give up three fifths of its country to Prussia in 1815. In 1871, Saxony joined the German Reich. In November 1918, the Republic of Saxony was proclaimed and in 1920 the free state of Saxony founded. After World War II, Saxony was annexed to the Soviet zone of occupation and in the GDR split up into three regions before becoming again the free state of Saxony in 1990 when it became a state in reunified Germany.

Dresden, the art metropolis

Saxony is rich in art treasures. Especially Dresden, that August the Strong had built into a Baroque city of art during his rule (1673–1733), has a lot worth seeing in spite of the massive destruction it suffered in World War II. The world-famous Zwinger, designed by the architect Matthäus Daniel Pöppelmann and the sculptor Balthasar Permoser, is home to a very important collection of Old Masters. Among other things, Raffael's "Sixtine Madonna" can be seen here. Both the Semper Opera House and the Albertinum, a museum containing a famous collection of New Masters, also belong to Dresden's art treasures. The Frauenkirche, bombed in World War II, is expected to be rebuilt by 2006, Dresden's octocentenary.

Saxony's largest city, Leipzig, is also very rich in history. The Nikolaikirche, built around 1165, was the starting point of the civil rights movement in the German Democratic Republic. The trades' fair buildings and the old town hall are witness to Leipzig's former wealth. Meissen, Saxony's oldest town, as well as countless castles and palaces are of course also worthy of a visit. In the Erz Mountains visitors are drawn to the silver towns such as Freiberg, Saxony's oldest mining settlement. The late Gothic Freiberg Cathedral with its golden gates, a figure portal from the 13th century still remind us today how wealthy the town was in days gone by.

Key Features	
Area: 18 412 km²	Population: 4.6 million
Capital: Dresden	Population per km²: 248
Largest cities (population):	1. Leipzig (478 200)
	2. Dresden (472 900)
	3. Chemnitz (271 400)
	4. Zwickau (103 900)
Gross national product: 25 520 DM	
Main branches of Industry: manufacturing industry: 38.1%, service industry: 27.2%, trade, transport and communication: 19.9%, agriculture: 2.4%, miscellaneous: 12.3%	
Places of interest: Dresden Zwinger, Art Galleries with Old and New Masters	
Regions: Sächsische Schweiz, Vogtland, Erz Mountains	
Visitors: 4.1 million, overnight stays: 12.3 million	
Information: Landesfremdenverkehrsverband Sachsen Friedrichstr. 24, 01067 Dresden Tel. 03 51-4 96 97 03, Fax 03 51-4 98 05 40	

Saxe

Beaucoup de régions, différents attraits

Le Oberlausitz, la montagne de Elbsand, plutôt connue comme Suisse saxe, le Erzgebirge et le Vogtland ne sont que quelques régions de ce paysage plein de charme de la Saxe. Dans le nord, autour de Leipzig, l'état le plus dense de l'Allemagne de l'est est encore plus ou moins plat et devient de plus en plus montagneux en allant vers le sud et la plus haute élévation de l'état, le Fichtelberg d'une altitude de 1214 mètres se trouve finalement dans l'Erzgebirge.

Parmi les plus grandes beautés naturelles de la Saxe comptent le parc national suisse saxe dans le sud-est de la capitale de l'état de Dresde. Ici on trouve des montagnes à plateau de grès et des plaines charmantes. Mais aussi des formations de bizarres rochers comme la célèbre Bastei. De Kamenz à Görlitz, l'Oberlausitz est une région de colonie des sorbes, un peuple slave, qui compte encore environ 60 000 personnes, dont 40 000 vivent dans l'Oberlausitz.

L'Erzgebirge est tout d'abord aussi renommé grâce à ses ressources minérales comme l'argent et l'étain. Quand celles-ci furent largement exploitées, une grande partie de la population se tourna vers la sculpture du bois, dont témoigne certain casse-noix sur la table des cadeaux à Noël. Aujourd'hui l'Erzgebirge est en première ligne un but de voyage aimé, pas seulement à cause des bonnes possibilités de sports d'hiver.

La Vogtländische Schweiz près de Plauen, le Musikwinkel autour de Markneukirchen et le Bäderwinkel près de Bad Elster sont les plus intéressantes régions du Vogtland.

De l'empire des Wettiner à l'état libre contemporain

Certes, déjà au 6ème siècle, des ethnies slaves ont peuplé le territoire de la Saxe contemporaine, mais seulement pendant la fondation du châteaufort Meissen en l'an 929 la véritable histoire saxe commença. Au 11ème siècle, un parent de la dynastie des Wettiner devenait pour la première fois empereur de Meissen et jusqu'au 20ème siècle les Wettiner tenaient le pouvoir en Saxe. Seulement en 1423, par la cession du duché Saxe-Wittenberg aux Wettiner, le nom Saxe fut introduit sur leur territoire. En l'an 1806, la Saxe devenait un royaume, l'état se rattacha à l'Union rhénale de Napoléon et le prince électeur Frédéric August II fut nommé roi. Pendant la bataille des Nations près de Leipzig (1813) la Saxe perdit aux côtés de Napoléon et dût céder 3 cinquièmes de son territoire à la Prusse. En 1871 la Saxe adhéra au Deutsche Reich. En novembre 1918, la République saxe était enfin proclamée et en 1920, l'état libre de la Saxe était fondé. Après la deuxième guerre mondiale, la Saxe fut rattachée à la zone d'occupation soviétique et divisée en trois secteurs sous le régime de la RDA, jusqu'à ce qu'en 1990, l'état libre de la Saxe fut de nouveau fondé, et devint un état de l'Allemagne réunifiée.

La métropole d'art de Dresde

La Saxe est riche en trésors d'art. Surtout Dresde, qu'August le Fort a développé en une ville d'art baroque pendant son règne de 1673 à 1733, et qui, malgré les destructions pendant la deuxième guerre mondiale, a beaucoup de curiosités à offrir. Le Zwinger baroque, qui contient la célèbre galerie des tableaux «Anciens Maîtres» et qui a été conçue par l'architecte Matthäus Daniel Pappelmann et le sculpteur Balthasar Permoser, est connu dans tout le monde. Ici on trouve entre autre «la madonne sixtine».

De plus, la Semperoper et l'Albertinum, un musée avec la plus célèbre collection de tableaux «Neue Meister», comptent parmi les trésors d'art de Dresde. La Frauenkirche, bombardée pendant la deuxième guerre mondiale, devrait être reconstruite jusqu'en 2006, le 800ème anniversaire de l'existence de Dresde.

La plus grande ville de la Saxe, Leipzig, a aussi une longue histoire. La Nikolaikirche, qui fut déjà construite vers 1165, était point de départ du mouvement civil en RDA. Les halles d'exposition et l'ancien hôtel de ville font allusion à l'ancienne fortune de Leipzig.

Meissen, la plus vieille ville de la Saxe, ainsi que de nombreux castels et châteaux peuvent faire objet d'un voyage. Le Erzgebirge attirent les villes d'argent comme Freiberg, la plus vieille colonie minière de la Saxe. La cathédrale de Freiberg dans le style de la fin de l'époque gothique et avec sa porte en or, un portail de figures du 13ème siècle, démontre aujourd'hui encore l'ancienne richesse de la ville.

Statistiques de référence

Superficie: 18 412 km²	Habitants: 4,6 millions
Métropole: Dresde	Habitants par km²: 248
Plus grandes villes (habitants):	1. Leipzig (478 200)
	2. Dresde (472 900)
	3. Chemnitz (271 400)
	4. Zwickau (103 900)

Produit intérieur brut par habitant: 25 520 DM

Ressources principales: activité industrielle productive: 38,1%, prestations de services: 27,2%, commerce, trafic et transmission des informations: 19,9%, agriculture: 2,4%, autres: 12,3%

Curiosités: Zwinger de Dresde, Galerie de tableaux Anciens et Nouveaux Maîtres

Paysages: Suisse Saxe, Vogtland, Erzgebirge

Visiteurs: 4,1 millions, logements: 12,3 millions

Adresse pour renseignements:
Landesfremdenverkehrsverband Sachsen
Friedrichstr. 24, 01067 Dresden
Tel. 03 51-4 96 97 03, Fax 03 51-4 98 05 40

Links oben/left above/à gauche ci-dessus:
Die Fassade der Semperoper in Dresden ist Blickfang am Theaterplatz, dessen Mittelpunkt das Reiterdenkmal bildet. Es stellt König Johann (1801–1873) dar.

The façade of the Semper Opera House in Dresden is eye-catching from the theatre square. In the centre of the square is an equestrian statue representing King Johann (1801–1873).

La façade de l'opéra Semper à Dresde est le point d'attrait sur la place du théâtre; au centre de la place se trouve la statue du cavalier représentant le roi Jean (1801–1873).

Das Alte Rathaus in Leipzig wurde 1556/57 vom Bürgermeister der Stadt, Hieronymus Lotter, erbaut. Seit 1909 beherbergt es das Stadtgeschichtliche Museum.

The Old Town Hall in Leipzig was built in 1556/57 by the mayor, Hieronymus Lotter. It has been home to the museum of municipal history since 1909.

L'Ancien Hôtel de Ville à Leipzig fut contruit de 1556/57 par le maire de la ville, Hieronymus Lotter. Depuis 1909, il abrite le musée de l'histoire de la ville.

Leipzig: Das größte deutsche Denkmal erinnert an die Völkerschlacht (1813).

The highest monument in Germany reminds of the Battle of the Nations at Leipzig in 1813.

Le plus grand monument allemand rappelle la bataille des Nations en 1813.

Seite 125/page 125:
Blick auf die mittelalterliche Albrechtsburg in Meißen. Kurfürst Friedrich August gründete 1710 dort die erste Porzellanmanufaktur.

A view of medieval Albrechtsburg in Meissen. Elector Frederick August founded the first porcelain factory here in 1710.

Vue sur le château d'Albrecht à Meißen. L'électeur Frédéric-Auguste y fonda en 1710 la première manufacture de porcelaine.

Vorhergehende Doppelseite/previous pages/pages précédentes:
Der Zwinger in Dresden zählt zu den schönsten Barockbauten.

The Zwinger in Dresden is one of most beautiful baroque buildings.

Le Zwinger à Dresde compte parmi les plus belles bâtisses baroques.

Links/left/à gauche:
Blick zum Kavalierhaus am neuen Schloß im Fürst-Pückler-Park in Bad Muskau.

A view of the Cavalier House in the new castle in Prince Pückler Park in Bad Muskau.

Vue sur la maison des cavaliers près du nouveau château dans les parc du prince Pückler à Bad Muskau.

Rechts/right/à droite:
In wildromantischer Umgebung liegt die gotische Burg Griebstein.

The Gothic castle Griebstein is situated in wildly romantic surroundings.

Le château fort gothique de Griebstein se trouve dans un entourage sauvage et romantique.

Links/left/à gauche:
Das Schloß Machern ist ursprünglich als Wasserburg im 16. Jahrhundert erbaut worden und liegt inmitten eines Landschaftsparkes im englischen Stil.

Machern Castle was originally built in the 16th century as a water-surrounded castle and lies in the middle of a park landscape in the English style.

A l'origine, le château de Machern fut construit au XVIième siècle comme château fort gothique de Griebstein se trouve dans un entrourage sauvage et romantique.

Baden-Württemberg

Baden-Württemberg
Bade-Wurtemberg

Paradies für Naturfreunde

Das Musterländle, wie Baden-Württemberg auch genannt wird, zählt nicht zuletzt wegen seiner landschaftlichen Vielfalt zu den beliebtesten Reisezielen in Deutschland. Schwarzwald, Odenwald, Schwäbische Alb, Bodenseeraum, Rheinebene und Alpenvorland – diese Regionen sind jedoch auch über die Grenzen Deutschlands hinaus ein Begriff.

Der Schwarzwald mit seinen zahlreichen Seen und dem Feldberg, dem mit 1493 Metern höchsten Berg des Bundeslandes, wird im Sommer vor allem von Wanderern, im Winter von Skiläufern besucht. Zu den bekanntesten Gewässern im Schwarzwald gehört der Mummelsee bei Seebach, der größte und mit 17 Metern tiefste Karsee – ein von Gletschern gebildeter See.

Die 220 Kilometer lange und bis zu knapp über 1000 Meter hohe Schwäbische Alb zwischen Neckar und Donau mit ihren zahlreichen Höhlen ist ebenfalls besonders bei Wanderern beliebt. Am östlichen Rand der Alb bei Blaubeuren liegt der berühmte Blautopf, eine rund 20 Meter tiefe Quelle, in deren Tiefe sich eine Höhle befindet, die in ein weitverzweigtes, vermutlich uraltes Höhlensystem übergeht.

Der Bodenseeraum im Dreiländereck Deutschland, Österreich und der Schweiz ist bekannt für sein mildes Klima. Im nordwestlichen Teil des 538 Quadratmeter großen Bodensees liegt die Blumeninsel Mainau, auf der sich unter anderem ein Park mit vielen exotischen Pflanzen befindet.

Schwaben, Badener und die Landesgründung

Das heutige Baden-Württemberg ist das von der Fläche drittgrößte deutsche Bundesland. Kein Wunder, daß es „den" Baden-Württemberger nicht gibt, statt dessen unterteilt sich die Bevölkerung vorwiegend in die im Neckarraum lebenden Schwaben und die Badener, die insbesondere im Schwarzwald und Freiburger Raum zuhause sind.

Dies erschwerte auch die Landesbildung: Nach einer Volksabstimmung 1951 in den damaligen Ländern Württemberg-Hohenzollern, Württemberg-Baden und Baden kam es trotz Widerspruchs großer Teile der Bevölkerung 1952 zum Zusammenschluß dieser drei Länder zum Bundesland Baden-Württemberg.

Städte mit Tradition und Ausstrahlung

Viele Regionen des späteren Baden-Württemberg waren unter anderem wegen des zum Teil milden Klimas schon recht früh besiedelt. So wurde die Stadt Mannheim bereits 766, die an das heutige Bayern grenzende Stadt Ulm im Jahr 854 erstmals erwähnt. Auch wenn die zahlreichen Städte des Landes über die Jahre von Zerstörungen nicht verschont blieben, finden sich in Baden-Württemberg nicht zuletzt wegen der vorbildlichen Restaurierung erhaltenswerter Bauten noch außergewöhnlich viele Städte, deren Stadtbild an frühere Zeiten erinnert.

Die alte Universitätsstadt Heidelberg gilt als Inbegriff der romantischen deutschen Stadt: Dichter, Maler und Philosophen ließen sich an den Ufern des Neckars vom Geist der Romantik inspirieren, Martin Luther verteidigte auch hier seine Thesen. Heute genießen etwa drei Millionen Besucher jährlich das nostalgische Flair der Altstadt mit ihren barocken Fassaden – sie wurde von den Bombardements der Alliierten im Zweiten Weltkrieg verschont – und besuchen das Heidelberger Schloß, das zwischen dem 14. und dem 17. Jahrhundert erbaut wurde und über dem Neckar thront.

Nicht nur das milde Klima macht das Leben in Freiburg im Breisgau so angenehm, auch die zahlreichen alten Gebäude – einige stammen noch aus dem 16. Jahrhundert – tragen viel dazu bei, daß Freiburg anheimelnd, aber auch romantisch wirkt. Den Mittelpunkt der Stadt bildet das Münster, mit dessen Bau um 1200 begonnen wurde und dessen Turm alle Gebäude der Altstadt überragt.

Die Hauptstadt des Landes, Stuttgart, zählt wohl nicht zu Unrecht zu den schönsten Großstädten Deutschlands. Die Innenstadt liegt in einem Talkessel, der ringsherum von Hügeln umschlossen ist, auf die sich die äußeren Stadtteile erstrecken. In Stuttgart, das während des Zweiten Weltkriegs wie fast alle deutschen Großstädte schwere Zerstörungen hinnehmen mußte, fügen sich alte und moderne Gebäude zu einem harmonischen Ganzen. Das Alte Stuttgarter Schloß, in dem sich heute das Württembergische Landesmuseum befindet, ist in großen Teilen ein Paradebeispiel für den Baustil der deutschen Renaissance. Ein Exempel für einen äußerst gelungenen modernen Bau ist dagegen die Stuttgarter Staatsgalerie, die vom britischen Stararchitekten James Stirling entworfen und 1984 ihrer Bestimmung übergeben wurde.

Eckdaten

Fläche: 35 751 km²	Einwohner: 10,3 Millionen
Hauptstadt: Stuttgart	Einwohner pro km²: 299

Größte Städte (Einwohner):   1. Stuttgart (587 000)
                                               2. Mannheim (315 100)
                                               3. Karlsruhe (276 600)
                                               4. Freiburg/Br. (198 300)

Bruttoinlandsprodukt pro Kopf: 49 561 DM

Haupterwerbszweige: Produzierendes Gewerbe: 47,9%,
Dienstleistungen: 22,9%, Handel, Verkehr, Nachrichten-
übermittlung: 20,7%, Landwirtschaft: 0,7%, Sonstiges: 7,8%

Sehenswürdigkeiten: Freiburger Münster, Heidelberger Schloß,
Tübinger Altstadt

Landschaften: Bodenseeregion, Odenwald, Schwäbische Alb,
Schwarzwald

Gäste: 11,6 Millionen, Übernachtungen: 37,8 Millionen

Infoadresse: Landesfremdenverkehrsverband Baden-Württ.
                    Esslinger Str. 8, 70182 Stuttgart
                    Tel. 07 11-23 85 80, Fax 07 11-2 38 58 99

Baden-Württemberg

A paradise for nature lovers

Baden-Württemberg or the "Musterländle" (exemplary land), as it is also known, is one of the favourite holiday destinations in Germany, not least because of its many different landscapes. The Black Forest, Odenwald, Suabian Highlands, Lake Constance, the Rhine flatlands and the Alp foothills – all of these regions are well-known beyond Germany's borders.

The Black Forest with its many lakes and the Feldberg, at 1493 metres the highest mountain in this state, are visited in summer by hikers and in winter by skiers. One of the best-known bodies of water in the Black Forest is Mummelsee near Seebach, the largest and, at 17 metres, deepest cirque lake – a lake formed by a glacier.

The 220 kilometre long and up to 1000 metre high Suabian Highlands between the rivers Neckar and Danube with their numerous caves are also a great favourite with hikers. At the east end of the Highlands, near Blaubeuren, is the famous Blautopf, an almost 20 metre deep spring which hides a cave in its depths that merges into a widely branching, most likely ancient system of caves.

The area around Lake Constance, in the region where Germany, Austria and Switzerland meet, is known for its mild climate. In the north-western part of the 538 square metre lake lies the flower island of Mainau, which contains, among other things, a park with many exotic plants.

The inhabitants of Baden, Swabia and the establishment of the state

Baden-Württemberg is today the third-largest state in Germany as far as area is concerned. It is not surprising that there is no such thing as a Baden-Württemberger, instead the population is mainly divided into the Swabians who live around the River Neckar and those from Baden who call the area around the Black Forest and Freiburg home. This also made the establishment of the state difficult: After a referendum in 1951, the three states Württemberg-Hohenzollern, Württemberg-Baden and Baden were united in 1952 as the Federal State of Baden-Württemberg, despite opposition from large parts of the population.

Cities with tradition and influence

Many regions in what was later to become Baden-Württemberg were populated relatively early, due in part to the temperate climate here. The city of Mannheim was officially mentioned in 766 AD and Ulm, bordering what is today Bavaria, in 854. Even though the many cities in the state did not remain untouched by devastation over the years, Baden-Württemberg has an exceptional number of cities whose cityscapes are reminiscent of ear-

lier days, not least because of the exemplary restoration work carried out on buildings worthy of preservation.

The old university town of Heidelberg is regarded as the quintessence of romantic German towns. Writers, painters and philosophers allowed themselves to be inspired by the spirit of romanticism on the banks of the Neckar; Martin Luther defended his theses also here. Today, around three million visitors enjoy the nostalgic flair of the Old Town with its Baroque façades – they were spared the Allied shelling during World War II – and visit Heidelberg Castle, built between the 14th and 17th centuries and looking majestically over the River Neckar.

It is not only the mild climate which makes life in Freiburg in Breisgau so pleasant. The many old buildings also contribute a lot to the fact that Freiburg appears homely, but at the same time romantic. The cathedral forms the heart of the city. Building was begun around 1200 AD and its towers rise above all other buildings in the Old Town.

The state capital, Stuttgart, is not without reason counted among Germany's loveliest large cities. The inner city lies in a basin surrounded by hills over which the other districts stretch. In Stuttgart, which like all big German cities suffered a great deal of damage during World War II, old and modern buildings acquiesce to form a harmonic unity. The Old Stuttgart Castle, which nowadays houses the Württemberg Museum, is in large parts a perfect example of the German Renaissance building style. On the other hand a very successful example of modern architecture is the Stuttgart Staatsgalerie, designed by the British architect James Stirling and inaugurated in 1984.

Key Features	
Area: 35 751 km²	Population: 10.3 million
Capital: Stuttgart	Population per km²: 299
Largest cities (population):	1. Stuttgart (587 000)
	2. Mannheim (315 100)
	3. Karlsruhe (276 600)
	4. Freiburg/Br. (198 300)
Gross national product: 49 561 DM	
Main branches of Industry: manufacturing industry: 47.9%, service industry: 22.9%, trade, transport and communication: 20.7%, agriculture: 0.7%, miscellaneous: 7.8%	
Places of interest: Freiburg Cathedral, Heidelberg Castle, Tübingen Old Town	
Regions: Lake Constance, Odenwald, Suabian Highlands, Black Forest	
Visitors: 11.6 million, overnight stays: 37.8 million	
Information: Landesfremdenverkehrsverband Baden-Württ. Esslinger Str. 8, 70182 Stuttgart Tel. 07 11-23 85 80, Fax 07 11-2 38 58 99	

Bade-Wurtemberg

Un paradis pour les amis de la nature

Le «Musterländle», comme se nomme aussi Bade Wurtemberg, ne compte non seulement parmi les buts de voyages les plus aimés d'Allemagne à cause de la variété de ses paysages. La Forêt Noire, l'Odenwald, la Schwäbische Alb, la région du lac de Constance, la plaîne du Rhin et les Préalpes, toutes ces régions sont même connues au delà des frontières allemandes.

La Forêt Noire, avec ses nombreux lacs et le Feldberg, qui à 1493 mètres d'altitude est la plus haute montagne de l'état, est visitée en été en particulier par des excursionnistes et en hiver par des skieurs. Les lacs les plus connus de la Forêt Noire sont le Mummelsee près de Seebach qui est le plus grand et le plus profond de 17 mètres est le Karsee qui est formé par des glaciers. La Schwäbische Alb de 220 kilomètres de longueur et presque 1000 mètres d'altitude, située entre le Neckar et le Danube avec ses nombreuses grottes est aussi très aimée parmi les excursionnistes. A l'est de l'Alb, près de Blaubeuren, se trouve le fameux Blautopf, une source d'environ 20 mètres de profondeur, dans laquelle se trouve une grotte qui passe dans un système de grottes très ramifié, probablement séculaire.

La région du lac de Constance, riverain d'Allemagne, d'Autriche et de la Suisse est connue pour son climat doux. Dans le nord-ouest du lac de Constance, qui a une superficie de 538 m², s'étend l'île de Mainau sur laquelle se trouve entre autres un parc comprenant un grand nombre de plantes exotiques.

Les Souabes, les Bades et la fondation du pays

Parmi les états, le Bade Wurtemberg d'aujourd'hui est le troisième par sa grandeur. Il est donc pas étonnant que «le» Bade Wurtemberge n'existe pas, mais que la population est divisée en Souabes, qui vivent surtout dans la région du Neckar et Bades qui habitent en particulier dans la Forêt Noire et dans la région de Fribourg. Ceci a aussi compliqué la formation du pays: après une votation populaire en 1951 dans les anciens états Wurtemberg Hohenzollern, Wurtemberg Bade et Bade, une réunion de ces trois états en Bade Wurtemberg était conclue en 1952, malgré l'opposition d'un grande partie de la population.

Des villes avec tradition et rayonnement

Beaucoup de régions de Bade Wurtemberg ont été peuplées déjà très tôt, entre autre à cause de leur climat doux. Ainsi la ville de Mannheim était déjà mentionnée en 766 et la ville de Ulm, qui, aujourd'hui confine à la Bavière, en 854. Même si les nombreuses villes du pays ne furent pas épargnées aux destructions au cours des années, Bade Wurtemberg comprend encore extrêmement beaucoup de villes, dont le caractère rapelle les anciens temps, non seulement à cause de la restauration exemplaire des édifices dignes d'être conservés.

Heidelberg, une vieille ville universitaire, doit sa rèputation au Heidelberg, une vieille ville universitaire, doit sa réputation au symbole d'une ville romantique allemande: des poêtes, des peintres et philosophes se sont inspirés de l'esprit du romantisme au bord du Neckar et Martin Luther défendit ici ses thèses. Aujourd'hui, environ 3 millions de visiteurs par année jouissent du flair nostalgique de cette ancienne ville avec ses façades baroques, qui ont été épargnées aux bombardements des alliés lors de la deuxième guerre mondiale, et visitent le château de Heidelberg qui fut construit entre le 14ème et 17ème siècle et qui trône au-dessus du Neckar.

Pas seulement le climat doux rend la vie à Fribourg dans le Brisgau aussi agréable, mais également les nombreux anciens bâtiments, dont quelques-uns remontent encore au 16ème siècle contribuent beaucoup à ce que Fribourg paraisse nostalgique et tout aussi romantique. La cathédrale, dont la construction avait débuté vers 1200, forme le centre de la ville et sa tour domine sur tous les bâtiments de l'ancienne ville.

Ce n'est pas sans raison que Stuttgart, la métropole de l'état, compte sans doute parmi les plus belles grandes villes de l'Allemagne. Le centre-ville est encastré dans une cuvette entourée de collines, sur lesquelles s'étendent les quartiers extérieurs. L'ancien château de Stuttgart, dans lequel se trouve aujourd'hui le musée de l'état Wurtemberg, est en grande partie exemplaire dans son style de construction de la renaissance allemande. Par contre, la galerie publique de Stuttgart a été conçue par l'architecte britannique James Stirling et a été remise à son destin en 1984. Elle représente un exemple de construction moderne extrêmement bien réussie.

Statistiques de référence	
Superficie: 35 751 km²	Habitants: 10,3 millions
Métropole: Stuttgart	Habitants par km²: 299
Plus grandes villes (habitants):	1. Stuttgart (587 000)
	2. Mannheim (315 100)
	3. Karlsruhe (276 600)
	4. Fribourg/Br. (198 300)
Produit intérieur brut par habitant: 49 561 DM	
Ressources principales: activité industrielle productive: 47,9%, prestations de services: 22,9%, commerce, trafic et transmission des informations: 20,7%, agriculture: 0,7%, autres: 7,8%	
Curiosités: Cathédrale de Fribourg, Château de Heidelberg, Vieille ville de Tübingen	
Paysages: Région du lac de Constance, Odenwald, Schwäbische Alb, Forêt Noire	
Visiteurs: 11,6 millions, logements: 38,9 millions	
Adresse pour renseignements: Landesfremdenverkehrsverband Baden-Württ. Esslinger Str. 8, 70182 Stuttgart Tel. 07 11-23 85 80, Fax 07 11-2 38 58 99	

Inmitten der romantischen Stadt Freiburg liegt der Oberlindenbrunnen.

The Oberlinden Fountain is in the middle of the romantic city of Freiburg.

Au centre de la ville romantique de Fribourg se trouve la fontaine d'Oberlinden.

Rechts oben/right above/à droite ci-dessus:
Bei Nacht wirkt das Karlsruher Schloß noch imposanter als bei Tageslicht.

At night, Karlsruhe's castle seems even more imposing than by daylight.

De nuit, le château de Karlsruhe paraît encore plus imposant que de jour.

Seite 135/page 135:
Bei einem Besuch der Schwäbischen Alb sollte man auf eine Besichtigung der Burg Lichtenstein nicht verzichten.

When visiting the Swabian Highlands, one should not miss a visit to Lichtenstein Castle.

Lors d'un séjour sur la Schwäbische Alb, il est conseillé de consacrer une visite au château fort de Lichtenstein.

Blick über den Neckar auf Altstadt und Schloß in Heidelberg.

View across the River Neckar to the old town and castle of Heidelberg.

Vue sur le Neckar, sur la vieille ville et le château de Heidelberg.

Wenn sich die Nebel aus dem Schwarzwald erheben, wirkt der Wald noch verwunschener als es sonst schon der Fall ist.

When the mist rises in the Black Forest, the forest appears even more enchanted than usual.

Quand les brumes se lèvent dans la Forêt Noire, la forêt semble encore plus ensorcelée que d'habitude.

Rechts/right/à droite:
Bei schönem Wetter bietet sich von der Blumeninsel Mainau ein grandioser Blick auf die zahlreichen Boote auf dem Bodensee.

When the weather is nice, one has a wonderful view of the many boats on Lake Constance from the flower island of Mainau.

Par beau temps, l'île fleurie de Mainau offre un vue magnifique sur les nombreux bateaux du lac de Constance.

Berühmt sind die Schwarzwälder Trachten, besonders die Kopfbedeckungen, der Bollenhut und die Rundkrone mit Glasperlen.

Black Forest national costumes are famous, especially the hats – the "Bollenhut" and the round crown with glass beads.

Les costumes traditionnels de la Forêt Noire sont célèbres; surtout les coiffres. Le «Bollenhut» (chapeau à pompons) et la couronne ronde décorée de perles en verre.

Links oben/left above/à gauche ci-dessus: Stuttgart
Die Staatsgalerie, geplant vom britischen Stararchitekten James Stirling.

The national gallery was designed by the British architect James Stirling.

La Galerie d'Etat fut conçue par l'architecte britannique James Stirling.

Links/left/à gauche:
Wer nach Ulm kommt, sollte sich das historische Rathaus inmitten der Stadt ansehen.

If you come to Ulm, you must see the historic town hall in the town centre.

Celui qui va à Ulm, devrait jeter un coup d'oeil sur l' Hôtel de Ville historique.

Oben/above/ci-dessus:
Die Universitätsstadt Tübingen (hier das Rathaus) hat sich ihr altes Stadtbild bewahren können. Und am Neckar bieten sich überall viele Möglichkeiten zum Entspannen.

The university city of Tübingen (here the town hall) has been able to retain its old townscape. And the river Neckar opens up many opportunities for recreation.

La ville universitaire de Tübingen (içi l'Hôtel de Ville) a pu conserver l'ancienne image de la cité. Et à la rivière Neckar il y a partout beaucoup de possibilités pour se reposer.

Bayern

Bavaria
La Bavière

Von der Zugspitze bis zur Rhön

Natur wird in Bayern großgeschrieben. Im größten Bundesland liegt mit der Zugspitze (2963 Meter) nicht nur der höchste Berg Deutschlands, hier finden sich auch die Nationalparks Bayerischer Wald und Berchtesgaden sowie die felsige, wildromantische Fränkische Schweiz, das reizvolle Altmühltal und eine große Zahl von Seen.

Besucher des Bayerischen Waldes fühlen sich unweigerlich in eine andere Welt versetzt, in der jederzeit Märchengestalten und Geister hinter dem nächsten Baum auftauchen könnten. Der Bayerische Wald wirkt so verwunschen, weil er als Nationalpark von den Eingriffen des Menschen weitgehend unbehelligt geblieben ist. Wer ihn erkunden möchte, erlebt auf den zahlreichen Wanderwegen Natur pur.

Bei Bergsteigern und Skifahrern ist ein anderes Ziel in Bayern wesentlich beliebter: die Bayerischen Alpen. Zu den meistbesuchten Skiorten gehören Oberstdorf, Garmisch-Partenkirchen und Berchtesgaden, die nahe der österreichischen Grenze liegen und von Bayerns Hauptstadt München innerhalb kürzester Zeit zu erreichen sind. Den Bayerischen Alpen vorgelagert sind eine Reihe bekannter Seen, wie der Chiemsee und der Starnberger See, die immer wieder die Wassersportler anlocken.

Wer es lieber ein wenig flacher und weniger überlaufen mag, besucht die Rhön im Norden des Landes. Auch in diesem Mittelgebirge gibt es viel zu sehen und zu entdecken, so zum Beispiel das Naturschutzgebiet Schwarzes Moor, eine der wenigen erhaltenen Moorlandschaften in Bayern.

Von den Bajuwaren zum Verfassungsstaat

Bayern hat eine lange Geschichte: Bereits um 500 n. Chr. siedelten sich auf dem Gebiet des heutigen Bundeslandes die Bajuwaren an und gründeten kurze Zeit später ein Stammesherzogtum. Doch blieb das Land nicht lange im Besitz ein und desselben Stammes beziehungsweise Herrschergeschlechts: Unter anderem fiel Bayern an die Welfen und die Wittelsbacher und wurde mehrere Male geteilt, bis es 1505 wieder vereinigt wurde.

1806 wurde dem bayerischen Kurfürsten Maximilian I. Joseph die Königswürde verliehen, und bis 1918 war Bayern Königreich. Der bekannteste Herrscher war sicherlich der Märchenkönig Ludwig II., der Schloß Neuschwanstein bauen ließ und 1886 unter bis heute ungeklärten Umständen im Starnbergersee ertrank. Nach dem Zweiten Weltkrieg wurde der Freistaat Bayern neu gebildet. 1949 schließlich trat Bayern als Bundesland der Bundesrepublik Deutschland bei.

Schlösser, Klöster und alte Bräuche

Bayern ist reich an Burgen, Klöstern, Schlössern und anderen Residenzen. In aller Welt berühmt ist vor allem das neuromanische Schloß Neuschwanstein im Allgäu, erbaut von 1868 bis 1886, das mit seinen vielen kleinen Türmen wie ein Märchenschloß wirkt. Schloß Linderhof in der Nähe von Neuschwanstein wurde ebenfalls unter der Herrschaft von König Ludwig II. im Rokokostil errichtet.

Zu den bekanntesten Klöstern zählt ohne Frage das Kloster Ettal, das sowohl im barocken als auch im gotischen Stil erbaut wurde. Die Wieskirche in der Nähe des Passionsspielortes Oberammergau gehört zu den schönsten Sakralbauten in Europa aus der Zeit des Rokoko. Harmonisch in die Bergwelt eingefügt, birgt sie in ihrem Innern Gold und Fresken im Überfluß. Eine andere einzigartige Verbindung von Kultur und Natur bietet das Kloster St. Bartholomä mit seiner einmaligen Lage am Königssee.

Das Wahrzeichen der Großstadt mit Herz, der bayerischen Landeshauptstadt München, ist die spätgotische Frauenkirche, die von 1468 bis 1488 erbaut wurde. In München gibt es natürlich noch wesentlich mehr zu sehen: die Kunstsammlungen Alte und Neue Pinakothek, das Deutsche Museum, Schloß Nymphenburg und den Olympiapark. Ende September eines jeden Jahres heißt es dann auf der Theresienwiese: „Ozapft is!" Hier findet das mit über sechs Millionen Gästen meistbesuchte Volksfest der Welt statt, das Oktoberfest.

Die zweitgrößte Stadt des Landes, Nürnberg, kann ebenfalls mit einem weltberühmten Fest aufwarten. Alljährlich in der Vorweihnachtszeit duftet es auf dem Christkindlmarkt nach gebrannten Mandeln und anderen Leckereien. In der Stadt an der Pegnitz können auch das Dürerhaus und die Burg (12.–16. Jh.) besichtigt werden. Traurige Berühmtheit erlangte die Stadt durch die 1945/46 durchgeführten Nürnberger Prozesse gegen die deutschen Kriegsverbrecher.

Eckdaten

Fläche: 70 551 km²	Einwohner: 12,0 Millionen
Hauptstadt: München	Einwohner pro km²: 170
Größte Städte (Einwohner):	1. München (1,2 Millionen)
	2. Nürnberg (494 100)
	3. Augsburg (261 000)
	4. Würzburg (127 700)

Bruttoinlandsprodukt pro Kopf: 49 750 DM

Haupterwerbszweige: Produzierendes Gewerbe: 43,2%, Dienstleistungen: 24,8%, Handel, Verkehr, Nachrichtenübermittlung: 23,1%, Landwirtschaft: 0,8%, Sonstiges: 8,1%

Sehenswürdigkeiten: Schloß Neuschwanstein, Schloß Linderhof, Wieskirche

Landschaften: Bayerische Alpen, Bayerischer Wald, Rhön, Altmühltal

Gäste: 19,4 Millionen, Übernachtungen: 71,0 Millionen

Infoadresse: Landesfremdenverkehrsverband Bayern
Prinzregentenstr. 18/IV, 80538 München
Tel. 0 89-2 12 39 70, Fax 0 89-29 35 82

Bavaria

From the Zugspitze to the Rhön

Nature looms large in Bavaria. The largest state is not just home to the Zugspitze (2,963 metres), Germany's highest mountain, here can also be found the national parks of the Bavarian Forest and Berchtesgaden as well as the rocky, wildly romantic Fränkische Schweiz, a mountainous region in Franconia, charming Altmühl Valley and a great many lakes.

Visitors to the Bavarian Forest inevitably feel as if they have entered another world in which fairy-tale figures and ghosts could come out of hiding behind the next tree. The Bavarian Forest seems to be enchanted because as a national park it has remained largely untouched by human hand. Those wishing to explore can experience pure nature on the numerous nature trails.

Mountain climbers and skiers much prefer another destination in Bavaria, the Bavarian Alps. The most popular ski resorts are Oberstdorf, Reit im Winkl, Garmisch-Partenkirchen and Berchtesgaden, all of which lie close to the Austrian border and can be reached from Bavaria's capital, Munich, in a short time.

There are a number of well-known lakes at the foot of the Bavarian Alps such as Lake Chiem and Lake Starnberg which both continue to attract those interested in water sports.

Those visitors preferring the landscape a little flatter and less overcrowded visit the Rhön in the north of the state. There is also a lot to see and discover here in this low mountain range. For example, the Schwarze Moor, a protected area and one of the few remaining intact moorlands still to be found in Bavaria.

Key Features	
Area: 70 551 km²	Population: 12.0 million
Capital: Munich	Population per km²: 170
Largest cities (population):	1. Munich (1.2 million)
	2. Nuremberg (494 100)
	3. Augsburg (261 000)
	4. Würzburg (127 700)
Gross national product: 49 750 DM	
Main branches of Industry: manufacturing industry: 43.2%, service industry: 24.8%, trade, transport and communication: 23.1%, agriculture: 0.8%, miscellaneous: 8.1%	
Places of interest: Neuschwanstein Castle, Linderhof Castle, Wieskirche	
Regions: Bavarian Alps, Bavarian Forest, Rhön, Altmühl Valley	
Visitors: 19.4 million; overnight stays: 71.0 million	
Information: Landesfremdenverkehrsverband Bayern Prinzregentenstr. 18/IV, 80538 München Tel. 0 89-2 12 39 70, Fax 0 89-29 35 82	

From the Bavarians to a constitutional state

Bavaria has a long history. The Bavarians already settled on the area which is today the Federal State around 500 AD and a short time later founded a duchy here. However, the land did not remain for long in the possession of the same line or dynasty respectively. Bavaria fell to, among others, the Guelfs and the Wittelsbachs and was split up several times before being united again in 1505. In 1806, the Bavarian Elector, Maximilian I Joseph was awarded royal dignity, and Bavaria remained a kingdom until 1918. The most famous ruler is surely the fairy-tale king Ludwig II who had Neuschwanstein Castle built and who died in Lake Starnberg in 1886. After World War II, the Free State of Bavaria was reformed. In 1949, Bavaria finally became a state of the Federal Republic of Germany.

Castles, monasteries and old traditions

Bavaria is rich in forts, monasteries, castles and other residences. It is known throughout the rest of the world above all for the neo-romantic Neuschwanstein Castle in the Allgäu, built between 1868 and 1886, which resembles a fairy-tale castle with all its little turrets. Linderhof Castle, near Neuschwanstein Castle, was also built in the rococo style during King Ludwig II's reign.

One of the most famous monasteries is without doubt Ettal Monastery, built in a mixture of Baroque and Gothic styles. The Wieskirche near the home of the Passion play, Oberammergau, is one of Europe's most beautiful ecclesiastical buildings from the rococo period. Harmonically blending into the mountains, it harbours in its vaults gold and frescoes in abundance. Another singular connection between culture and nature can be seen in St. Bartholomew's Monastery with its unique location on Königssee.

The landmark of the metropolis with a heart, the Bavarian capital of Munich, is the late-Gothic Frauenkirche, built between 1468 and 1488. Of course there are a lot of other things to see in Munich: the art collection in the Old and New Pinakotheks, the German Museum, Nymphenburg Castle and the Olympic Park. At the end of September each year on the Theresienwiese, the cry of "Ozapft is!" (the beer is tapped) can be heard. Here, the most-visited festival in the world, namely the Oktoberfest, takes place.

The second largest city in the state, Nuremburg, can also offer a world-famous festival. Every year in the weeks leading up to Christmas, the lovely smell of roasted almonds and other tasty delicacies fills the air of the Christkindlmarkt. Dürer's house and the castle (12th – 16th century) can also be visited in this city on the River Pegnitz. The city gained sad fame because of the Nuremberg Trials against German war criminals that took place here in 1945/46.

La Bavière

De la Zugspitze jusqu'au Rhön

En Bavière, la nature joue un grand rôle. Dans le plus grand état se trouve non seulement la plus haute montagne, la Zugspitze (2963 mètres), mais aussi les parcs nationaux Bayerischer Wald et Berchtesgaden, ainsi que la Suisse franque, romantique et sauvage, la charmante vallée «Altmühltal» et un nombre important de lacs.

Les visiteurs de la forêt bavaroise se sentent inévitablement déplacés dans un autre monde, dans lequel des aspects fabuleux et des fantômes pourraient à tout moment apparaître derrière un arbre. La forêt bavaroise paraît tout aussi enchantée parce qu'en tant que parc national, elle est restée largement à l'abri des empiétements humains.

Pour les alpinistes et les skieurs, un autre but en Bavière est beaucoup plus favorisé: les Alpes bavaroises. Les centres de ski les plus fréquentés sont entre autre Oberstdorf, Garmisch-Partenkirchen et Berchtesgaden. Ces derniers sont situés près de la frontière autrichienne et peuvent être atteints rapidement de Munich, la métropole de la Bavière. Devant les Alpes bavaroises se trouvent quelques lacs connus comme le Chiemsee et le lac de Starnberg qui attirent encore toujours les sportifs nautiques.

Celui qui préfère un environnement un peu plus plat et moins fréquenté, peut visiter le Rhön dans le nord de l'état. Ces montagnes de hauteur moyenne offrent aussi beaucoup à découvrir et à visiter, comme par exemple le parc national «Schwarzes Moor», qui est une des rares régions de marécage conservée en Bavière.

Des Bavarois à un état constitutionnel

La Bavière a une longue histoire: déjà vers 500 av. J.-C., les Bavarois résidaient dans la région de l'état contemporain et fondaient peu après une duché de souche. Mais le pays ne resta pas longtemps en possession de la même tribu, notamment d'une dynastie régnante: La Bavière passait entre autre aux guelfes et aux Wittelsbacher et fut divisée plu-sieurs fois avant d'être réunie en 1505. En 1806, le princeélecteur bavarois Maximilian I Joseph fut été nommé roi et la Bavière devint un royaume jusqu'en 1918. Le plus célèbre fut certainement le merveilleux roi Louis II, qui a fait construire le château de Neuschwanstein et qui s'est noyé dans le lac de Starnberg. Après la deuxième guerre mondiale, l' état libre Bavière a été reformé. En 1949 la Bavière a adhéré à la République Fédérale de l'Allemagne comme état.

Châteaux, monastères et anciennes coûtumes

La Bavière est riche en castels, monastères, châteaux et autres résidences. Particulièrement le château de Neuschwanstein dans l'Allgäu, qui a été construit de 1868 à 1886, est célèbre dans le monde entier, et, par ses nombreuses petites tours, il ressemble à un château de contes de fées. Le château Linderhof près de Neuschwanstein a aussi été construit dans le style rococo sous le règne du roi Louis II.

Parmi les monastères les plus célèbres compte sans doute le monastère Ettal qui a été construit dans les styles baroque et gothique. La Wieskirche près du lieu du mystère de la Passion Oberammergau est l'un des plus beaux bâtiments sacrés de l'époque rococo en Europe. Insérée harmonieusement dans un environnement montagneux, l'église cache dans son intérieur de l'or et des fresques en abondance.

Le symbole de la grande ville avec coeur, de la capitale de l'état, Munich, est la Frauenkirche de la fin de l'époque gothique, qui à été construite entre 1468 et 1488. A Munich, il y a bien sûr encore beaucoup plus de choses à visiter: les collections d'art de la vieille et de la nouvelle pinacothèque, le Musée allemand, le château Nymphenburg et le parc olympique. Chaque année, fin de septembre on dit sur la Theresienwiese «Ozapft is!». Plus de 6 millions de visiteurs se rendent à la fête populaire la plus fréquentée au monde, la Fête de la bière (Oktoberfest).

La deuxième ville de l'état par sa grandeur, Nuremberg, peut aussi servir avec une fête célèbre dans tout le monde. Chaqueannée, pendant l'Avent, ça sent les amandes grillées et autres friandises sur le Christkindlmarkt. Dans la ville, au bord du Pegnitz, on peut aussi visiter la maison de Dürer et le castel (12ème–16ème siècle). La ville a acquis une célé-brité triste en 1945/46 lors des procès de Nuremberg contre les criminels de guerre allemands.

Statistiques de référence	
Superficie: 70 551 km²	Habitants: 12,0 millions
Métropole: München	Habitants par km²: 170
Plus grandes villes (habitants):	1. München (1,2 million)
	2. Nürnberg (494 100)
	3. Augsburg (261 000)
	4. Würzburg (127 700)
Produit intérieur brut par habitant: 49 750 DM	
Ressources principales: activité industrielle productive: 43,2%, prestations de services: 24,8%, commerce, trafic et transmission des informations: 23,1%, agriculture: 0,8%, autres: 8,1%	
Curiosités: Château de Neuschwanstein, Château Linderhof, Wieskirche	
Paysages: Alpes bavaroises, Forêt bavaroise, Rhön, Altmühltal	
Visiteurs: 19,4 millions, logements: 71,0 millions	
Adresse pour renseignements: Landesfremdenverkehrsverband Bayern Prinzregentenstr. 18/IV, 80538 München Tel. 0 89-2 12 39 70, Fax 0 89-29 35 82	

Zu den Wahrzeichen Regensburgs zählen die Steinerne Brücke und das Brückentor.

The Stone Bridge and Bridge Gate are two of Regenburg's landmarks.

Le Pont de Pierre et la Porte du Pont font partie des monuments de Ratisbonne.

Rechts/right/à droite:
Die Türme der Frauenkirche ragen über das Münchner Stadtzentrum auf.

The towers of the Frauenkirche loom above Munich city centre.

Les tours de l'église de Notre-Dame émergent au-dessus du centre-ville.

Eine altehrwürdige Münchner Gaststätte: die Münchner Kindl Stuben.

A time-honoured Munich inn: the Münchner Kindl Stuben.

Un vieux et respectable restaurant munichois: les «Kindl Stuben».

Auch beim Aufstellen des Maibaums darf die Maß Bier nicht fehlen.

A quart of beer is never missing when the Maypole is erected.

Quand on monte l'arbre de mai, la chope de bière est un accessorie indispensable.

Seite 145/page 145:
Die Zugspitze, der höchste Gipfel Deutschlands.

The Zugspitze, the highest point in Germany.

La Zugspitze, le plus haut sommet de l'Allemagne.

Zu den in Bayern entwickelten Künsten gehört die sogenannte Lüftlmalerei, hier an einem Haus im Passionsspielort Oberammergau.

An art form, developed in Bavaria, is the so-called "Lüftlmalerei", here on a house in the venue of the Passion Play, Oberammergau.

Un des arts développés en Bavière la peinture nommée «Lüftlmalerei», ici sur une maison de la «ville des mystères de la passion» Oberammergau.

Links/left/à gauche:
Das Kloster Ettal wurde im barocken und im gotischen Stil errichtet.

The Ettal Monastery was built in the baroque and Gothic styles.

Le couvent d'Ettal fut construit dans le style baroque et gothique.

Idyllisch liegt die Ramsauer Kirche vor der Reiter-Alpe.

The Ramsau Church lies idyllically at the foot of the Reiter Alpe.

L'idyllique église de Ramsau devant la Reiter-Alp.

Vorhergehende Doppelseite/previous pages/pages précédentes:
Die bayerischen Alpen gehören zu den beliebtesten Skigebieten Deutschlands.

The Bavarian Alps are among the favourite skiing resorts in Germany.

Les Alpes bavaroises figurent parmi les régions de ski préférées d'Allemagne.

153

Reit im Winkl mit den Chiemgauer Bergen im Hintergrund ist einer der beliebtesten Wintersportorte Bayerns.

Reit im Winkel with the Chiemgau Mountains in the background is one of Bavaria's favourite winter sports regions.

Reit im Winkl (avec les montagnes de Chiemgau en arrière plan) est un des endroits préférés pour le sport d'hiver en Bavière.

Rechts/right/à droite:
Verwunschen hinter den schneebedeckten Bäumen liegt das Schloß Hohenschwangau.

Hohenschwangau Castle lies like an enchanted castle behind the snow-covered trees.

Comme ensorcelé derrière les arbres couverts de neige: Le château de Hohenschwangau.

Folgende Doppelseite/following pages/pages suivantes:
Der Märchenkönig Ludwig II. ließ Schloß Neuschwanstein erbauen.

The fairy-tale king Louis II had Neuschwanstein Castle built.

Le roi fabuleux Louis II fit construire le château de Neuschwanstein.

DIE AUTORIN

Simone Harland,
geboren 1965, studierte in Göttingen Sozialwissenschaften. Anschließend arbeitete sie mehrere Jahre lang als Redakteurin bei einem Sachbuchverlag. Sie lebt im Weserbergland und ist als freiberufliche Autorin und Journalistin mit den Schwerpunktthemen Reise, Geschichte, Gesundheit und Soziales tätig.

THE AUTHOR

Simone Harland,
born in 1965, studied social sciences in Göttingen. Afterwards she worked for several years as editor for a non-fiction publishing house. She lives in Weserbergland and works as a freelance author and journalist, her main fields being travel, history, health and social studies.

LE AUTEUR

Simone Harland,
Simone Harland, née en 1965, fit des études de sociologie à Göttingen. Elle travailla ensuite durant plusieurs année comme conseillère éditoriale dans une maison d'éditions du secteur de la «non-fiction». Vivant dans le Weserbergland, elle est actuellement auteur et journaliste indépendante et écrit de préférence sur le voyage, l'histoire, la santé et le social.

Links/left/à gauche:
Malerisch ergießt sich der Radauwasserfall im Harz über die Felsen.

Picturesque: water falls of the Radau in the Harz pouring down the rocks.

Une image pittoresque: les cascades de la Radau dans le Harz se jettent de haut en bas des rochers.

Eine Auswahl aus dem **artcolor**®-Verlagsprogramm

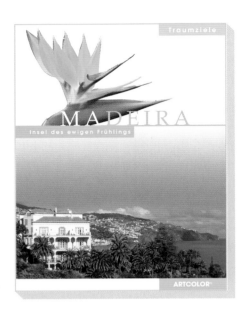

E. Tönspeterotto / R. Hackenberg /
U. Haafke / M. Mauthe /
C. Bette-Wenngatz
Hardcover mit Schutzumschlag
80 Seiten, ca. 100 Abbildungen
DM 36,-/SFr. 32,80/ÖS 263,-/Euro 18,80
ISBN 3-89743-255-2

Ch. Prager / J. Kolf
Hardcover mit Schutzumschlag
Deutsch / Englisch
80 Seiten, ca. 100 Abbildungen
DM 36,-/SFr. 32,80/ÖS 263,-/Euro 18,80
ISBN 3-89743-011-8

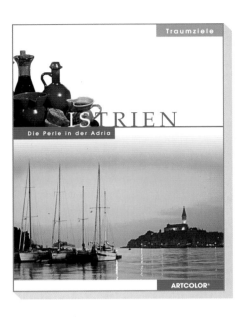

Ch. Prager / Dr. E. Diezemann
Hardcover mit Schutzumschlag
Deutsch / Italienisch
80 Seiten, ca. 100 Abbildungen
DM 36,-/SFr. 32,80/ÖS 263,-/Euro 18,80
ISBN 3-89743-257-9

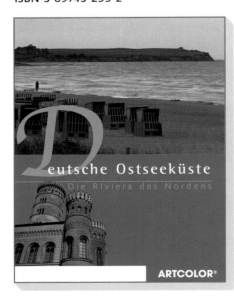

Ch. Prager / E. Tönspeterotto /
Dr. E. Diezemann
Hardcover mit Schutzumschlag
80 Seiten, ca. 100 Abbildungen
DM 36,-/SFr. 32,80/ÖS 263,-/Euro 18,80
ISBN 3-89743-254-4

Ferdinand G. B. Fischer /
Verschiedene Fotografen
Hardcover mit Schutzumschlag
96 Seiten, ca. 120 Abbildungen
DM 39,80/SFr. 36,-/ÖS 291,-/Euro 19,95
ISBN 3-89743-046-0

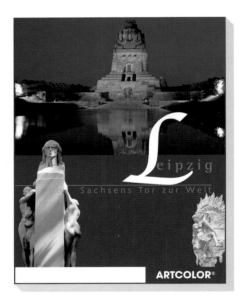

Dr. Klaus Sohl /
Verschiedene Fotografen
Hardcover mit Schutzumschlag
80 Seiten, ca. 100 Abbildungen
DM 36,-/SFr. 32,80/ÖS 263,-/Euro 18,80
ISBN 3-89743-258-7